「源氏物語」の色辞典

吉岡幸雄

紫紅社

はじめに

私は植物染という日本に古くからあった染色を、いま生業《なりわい》としている。私の工房では花や実、樹木の皮や根などから色を汲み出して、糸や布を美しい彩りに染めることに日々格闘している。

ふと、人はなぜ色彩にこだわるのであろうかと疑問をもつときがある。そしてよく考えてみると、やはり自然界の山や森や海や野や川の彩りを身近においておきたいという気持ちがあるからではないか、自然を映して、より美麗な世界に自らを同化して、装いたいからであると納得する。

私が染屋という家業を受け継いだのは四十歳をすぎたころであるが、それからの日々の暮らしのなかでいちばん変わったのが、外にでたときにまわりの景色をこころしてみるようになったということで、自然の移り変わりを観察することに注意を払うようになった。

それからもうひとつ、自分たちの仕事が伝統的な染色であるから、私たちと同じような仕事に励んでいた古《いにしえ》の染師たちは、どのように仕事をしていたのか、それを探りたいという気持ちが強くなってきたことである。江戸時代の衣裳など、今日までのこされている貴重な遺品の数々に眼を近づけて、また、染織に関することが書かれた古典籍をよく読むようになった。

それも桃山時代、そして中世へと時代が遡っていくほど興味がわいてくる。奈良時代については、東大寺正倉院という宝庫があって、そこには数千点の染織品が今日まで伝えられている。平安時代のそれは、残念ながら度重なる戦火や火災で多くを失っているが、『古今和歌集』『伊勢物語』、そして、『源氏物語』といった古典文学を読むと、王朝人の色彩観というものが理解できる。

学生時代に、ほんの少し学んだ『源氏物語』のこと、この物語にあふれる豊潤な色彩の記述がよみがえった。それを契機に、『物語』の原文と丹念に取り組み、私が一途に心がけてきた伝統色の再現を主眼としてくり返し、くり返し読みつづけた。

■

作者といわれる紫式部は、曾祖父が三十六歌仙のひとり、「堤中納言《つつみちゅうなごん》」といわれた藤原兼輔《かねすけ》であり、祖父も父も漢学者である家に生まれた頭脳明晰な女性である。藤原道長《みちなが》という時めく権門家の娘で、一条天皇に嫁した中宮彰子《しょうし》の家庭教師として女房に出仕していた。そのため、当時の朝廷の人びとの様子、また宮中の風趣についてきわめて細やかに観察している。

とりわけ平安京のそれぞれの季節の麗しい風光、宮中の儀式、賀茂《かも》の社の祭をはじめとする祭礼、そして往時の女人たちの、競うがごとく何枚も重ねた衣裳、すなわち襲《かさね》の色目《いろめ》の、四季それぞれの草樹の彩りを映したかのような描写は傑出して見事である。そして、その襲の色彩は歌や文をしたためる紙や包み紙、寝殿造《しんでんづくり》という住居のなかで仕切りに用いられる几帳《きちょう》、帳《とばり》、御簾《みす》にいたるまで広く応用されていることも紫式部は巧みに記述している。

登場する襲の色目をいくつかとり出してみても、春は紅梅、柳、桜、山吹、夏は藤、楝《おうち》、撫子《なでしこ》、秋は女郎花《おみなえし》、萩、桔梗、菊、紅葉という多彩さである。物語を読むほどに登場する女人たちの匂うような四季の美しい彩りをもつ衣裳、その華やかな「時にあひたる」姿が想い浮かぶのである。

『物語』の本文を読んで、その色彩描写を採出し、古典籍、とくに『延喜式《えんぎしき》』から染色法、素材を学び、「源氏の色」を探求しはじめて十年の歳月がすぎた。

そんな私の勉強と練達の染師福田伝士との実作業の時が過ぎていった。

平成二十年、『源氏物語』が世にあらわれて一千年の年にあたるとして、数々の記念行事がおこなわれて、いっそうの関心が高まっている。

平安京に都が遷《うつ》ったのが一千二百余年前、それから百年ほどたったあとに、ようやく風土に見合った独自な国風の文化を築きあげたのが平安時代の中頃である。この王朝文化へ回帰する気持ちを、日本人はいつの時代になってももちつづけている。

『源氏物語』は、天皇の皇子として生まれた才智豊かで美貌の光源氏がつぎつぎと女人たちに出会い、恋愛を重ねながら話が展開していく長大な物語である。しかし、くり返すようであるが、私にとっては、日本の細やかに移ろう自然を映したその色彩を往時の人びとがどのように表現し、楽しんでいったのかという物語なのである。そして、私の色に関する勉強と手作業の偉大なる教科書というべき物語なのだ。

本書は五十四帖の『物語』のなかに描かれた色彩豊かな条《くだり》を私なりに選びだして、それを先学の研究にも拠《よ》りながら、自分なりの考えや印象を加えて、すべて伝統的な植物染の技法にのっとって表現したものである。

平成二十年十月

吉岡幸雄

源氏物語の色辞典
——目次

「襲の色目」再現にあたって

表紙カバー
表——桜の細長（若菜上）
裏——明石の上の衣裳（玉鬘）
表袖——浅縹（澪標）
裏袖——ゆるし色（須磨）
「色」の地——深緋（澪標）
総扉——紅葉の襲（紅葉賀）
中扉——深紫（澪標）
目次——氷の襲（薄雲）
卯の花の襲（花散里）
氷雪の襲（浮舟）

【著者注記】

・『源氏物語』の本文から色彩と衣裳に関しての記述をすべて採出して、それを検討した。その結果、現在確定的と判別しうるものを古法にのっとって植物染で染色し、その色彩を再現した。化学染料はいっさい使用していない。

・記述の採出は新潮社の「新潮日本古典集成」の『源氏物語』（全八巻・石田穣二・清水好子校注）によった。

・色名とその色調については、『延喜式』など古諸書によって、私が熟考し判断した。なお、拙著『日本の色辞典』（紫紅社）にそのことは詳しい。

・襲の色目についても古典籍をじゅうぶんに参考しつつ、季節ごとの風光を想起して、試染をくり返し、最終的にその色目は私の判断で決めた。

・染色は染司よしおか工房において、染師福田伝士氏と私が職人たちを指導して、約一年半かけておこなった。織物も吉田頼修氏の協力のもと、染司よしおか工房の機場などで織った。

・本書の構成は、前著『日本の色辞典』同様、年来の知友槇野修氏にお願いした。

・本書の作品撮影は、永年私の仕事を見続けている小林庸浩氏にお願いした。

・私にとって、この本のカラー表現ははじめてデジタル化でおこなった。もともと印刷というものはいくら精度を高めても実物との間には、いくらかの差がでるものである。その限られたなかで最大限の努力をおこなった。実際の色と風合を確かめられたい方は、私の展覧会などにお越しいただきたい。

・なお、本書刊行までに大勢の方々のご協力をえている。この場で深く感謝の意をあらわしたい。

企画・構成・装幀……槇野　修
作品撮影……小林庸浩
題字「色」……著　者
巻名の書……服部瑞遷
染と織……染司《そめのつかさ》よしおか
福田伝士
粟津裕美　小川恒二　栗本　薫
平野理恵　宮城美穂子　森田友子
山口貴光　吉田修子
吉田頼修
秦　宏子
藤井悦子
編集……小野久仁子
DTP……菱木啓美（IBCパブリッシング）
写真提供……岡田克敏・中田　昭・佐々木慶明・紫紅社
和泉市久保惣記念美術館・五島美術館・徳川美術館

【主な参考文献】

源氏物語　一～八［新潮日本古典集成］石田穣二・清水好子校注　新潮社　一九七六～八五年
源氏物語　一～十　円地文子訳　新潮社　一九七二～七三年
源氏物語図典　秋山虔・小町谷照彦編　小学館　一九九七年
源氏物語の色［別冊太陽　日本のこころ60］平凡社　一九八七年
古今和歌集［新潮日本古典集成］奥村恆哉校注　新潮社　一九七八年
染料植物譜　後島捷一・山川隆平編　はくおう社　一九三七年
日本色彩文化史　前田千寸著　岩波書店　一九六〇年
日本色名大鑑　上村六郎・山崎勝弘著　甲文社　一九五〇年
日本の色――植物染料のはなし　吉岡常雄著　紫紅社　一九八三年
日本のデザイン①源氏物語　紫紅社　二〇〇一年
日本の傳統色彩　長崎盛輝著　京都書院　一九八八年
日本文学色彩用語集成　中古、中世　伊原昭著　笠間書院　一九七五・七七年
平安の美裳　かさねの色目　長崎盛輝著　京都書院　一九八八年
枕草子　上下［新潮日本古典集成］萩谷朴校注　新潮社　一九七七年
有職故実図典　鈴木敬三著　吉川弘文館　一九九五年
律令［日本思想大系3］井上光貞・関晃・土田直鎮・青木和夫校注　岩波書店　一九七六年
和紙［別冊太陽　日本のこころ40］平凡社　一九八二年
色の歴史手帖　吉岡幸雄著　PHP研究所　一九九五年
染と織の歴史手帖　吉岡幸雄著　PHP研究所　一九九八年
日本の色辞典　吉岡幸雄著　紫紅社　二〇〇〇年
日本の色を染める　吉岡幸雄著　岩波新書　二〇〇二年

「源氏物語」は紫のものがたりである。

桐壺

いづれの御《おほむ》時にか、女御《にようご》、更衣《かうい》あまたさぶらひたまひけるなかに、いとやむごとなき際《きは》にはあらぬが、すぐれて時めきたまふありけり。

世にたぐひなしと見たてまつりたまひ、名高うおはする宮の御容貌《かたち》にも、なほにほはしさはたとへむかたなく、うつくしげなるを、世の人光君《ひかるきみ》と聞こゆ。藤壺《ふぢつぼ》ならびたまひて、御おぼえもとりどりなれば、かかやく日の宮と聞こゆ。

桐壺

きりつぼ

光の君の誕生と源氏の名

『源氏物語』は、天皇を父として生を受けた貴公子光《ひかる》源氏《げんじ》の生き方をたどりながら、華麗な王朝絵巻を展開していく。

それは「桐壺《きりつぼ》」の帖の、

「いづれの御時《おほむ》にか、女御《にょうご》、更衣《かうい》あまたさぶらひたまひけるなかに、いとやむごとなき際《きは》にはあらぬが、すぐれて時めきたまふありけり」

という書き出しではじまる。

天皇のまわりには女御《にょうご》、更衣《こうい》といった女性たちが大勢侍《はべ》っている王朝の時代である。天皇は、そのなかでも、身分はそれほど高くはないが、桐壺更衣とよばれる女性をもっとも寵愛していた。やがて二人の間には、まさに光り輝くような皇子が誕生する。

桐壺更衣への天皇の愛情はあまりにも深く、まわりから中国の唐《とう》時代、玄宗《げんそう》皇帝が楊貴妃《ようきひ》を愛するあまり国が乱れた例も引きあいに出されるほどで、ほかの妃たちから妬《ねた》まれ、更衣はさまざまな意地悪を受けて病《や》みがちとなる。そして、三歳になる光の君をのこして亡くなってしまう。

皇子は天皇のもとで育てられ、天性の美しい姿に加えて、七歳からは読書《ふみ》始めをするとたいそう賢く、また、琴、笛などの音曲にもすぐれた才能を発揮する。桐壺帝は将来は東宮にと考えるが、高麗《こま》国の相人《そうにん》（人相見）から「この子は帝王になる相はあるけれど、そのような地位につけば国が乱れる」と予言されたために、源氏という姓をあたえて臣下に降《くだ》したのである。

京都御所紫宸殿（岡田克敏）

藤壺の入内と光源氏の元服

やがて桐壺帝は、亡き桐壺更衣に面差しの似た藤壺《ふじつぼ》宮《みや》を女御にむかえて、寵愛なさる。光源氏も母の面影を藤壺宮にもとめ、激しく恋慕することになり、それはのちに一大変事をまねく。

十二歳で元服。みずらに結われていた髪を上げると、紫の元結《もとゆい》をかけられる。そしてこのとき光源氏は、左大臣の娘であり、親しい友人頭《とう》の中将《ちゅうじょう》の妹にあたる葵《あおい》の上《うえ》を正妻に迎える。

「桐壺」の帖においては、色彩に関する記述は比較的

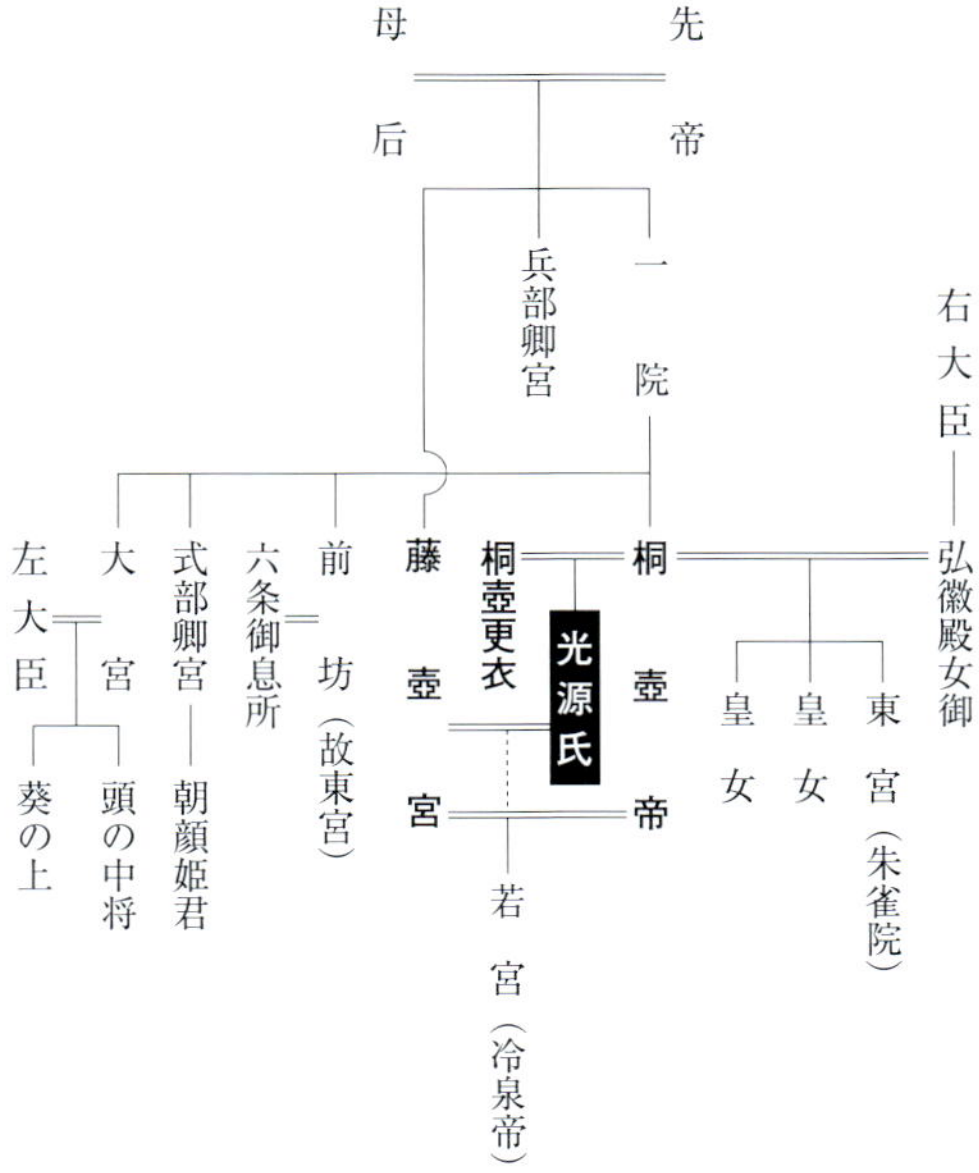

清涼殿での光源氏の元服式（光源氏中央右）
（土佐光吉筆「源氏物語手鑑　桐壺二」和泉市久保惣記念美術館蔵）

少ないのだが、源氏と葵の上との婚礼のおりに、葵の上の父左大臣が、

「結びつる心も深きもとひゆ（元結）に
　濃きむらさきの色しあせずは」

と詠む場面がある。

貴公子の元結には、高貴な紫の糸でつくられたものが結ばれる。左大臣はその紫の色が変わらなければ、といい、娘への光源氏の心が離れないようにと願っている。

『源氏物語』は「紫」のものがたり

こうして五十四帖にわたる長大な物語が展開していくのである。そして『物語』に一貫している色といえば、「紫」があげられる。

平安京の政治の場は大内裏《だいだいり》という、いまでいえば皇居と霞が関が一緒になったような一帯だった。そのなかで、天皇の住

五月に咲く桐の花（岡田克敏）

【桐の襲】 花の紫（紫根）・葉の緑（蓼藍×黄蘗）

五月に咲く桐の花の彩りを再現した。貴重な紫草の根を用いて、やや渋く染めた。裾濃《すそご》は襲《かさね》の方法で、上着のほうは薄くして、裾へいくほど濃くする配列にして三段にした。

まいを内裏とよび、右近の橘《たちばな》、左近の桜が配された南の庭をもつ紫宸殿《ししんでん》が建ち、天皇が鎮座する高御《たかみ》座《くら》は紫の布で覆われている。

天皇や皇后をはじめ、女御、更衣たちが住まう後宮《こうきゅう》へは、建物や渡廊《わたりろう》でつながっている。建物はそれぞれ弘徽殿《こきでん》、淑景舎《しげいしゃ》、飛香舎《ひこうしゃ》という正式な名称のほかに、壺《つぼ》、つまり中庭に咲く花にちなんで、桐壺、藤壺、梅壺とよばれるものもあった。

桐も藤も花は紫色であるし、「若紫《わかむらさき》」の帖に登場する可憐な少女、光源氏がもっとも愛するのちの紫《むらさき》の上《うえ》が登場するところをみても、この物語のなかに脈々と流れる色は紫といえるようである。

『源氏物語』はまさしく「紫」の物語である。

この物語の巻頭にふさわしく、桐壺更衣の桐の花のイメージと、光源氏が心をよせる藤壺宮を象徴する藤の花の襲《かさね》を紫の暈繝《うんげん》（同色の濃淡）で再現した。

平等院の藤の花（岡田克敏）

【藤の襲】 花（紫根と白平絹）・葉の緑（蓼藍×黄蘗）

藤の花は紫から白へと暈繝になっているので、こちらも紫根を用いて上を濃く、下へいくほど薄くして、最後に白を置く薄様《うすよう》の順にして、さらに葉の緑を添えた襲にした。

帚木

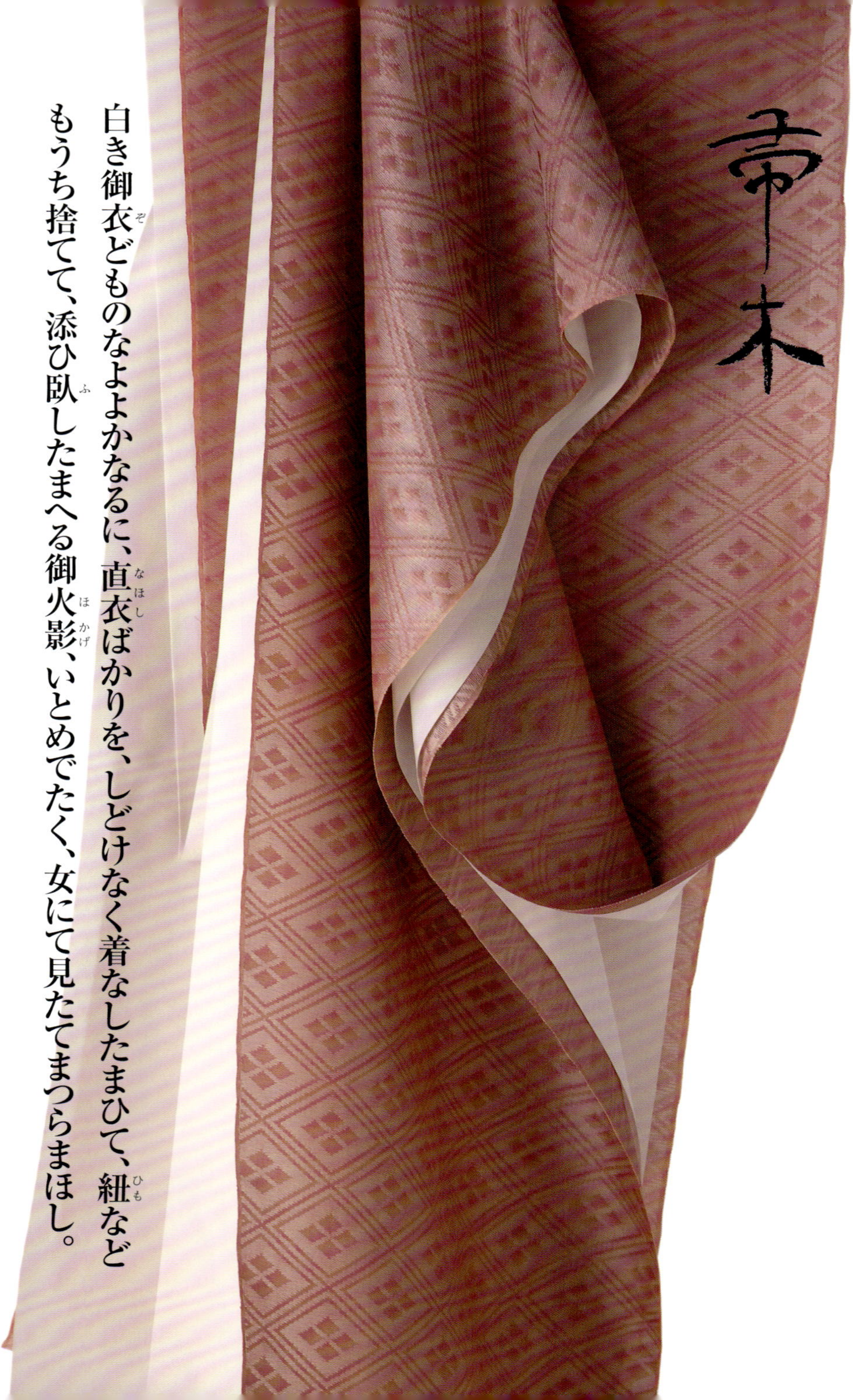

白き御衣《ぞ》どものなよよかなるに、直衣《なほし》ばかりを、しどけなく着なしたまひて、紐《ひも》などもうち捨てて、添ひ臥《ふ》したまへる御火影《ほかげ》、いとめでたく、女にて見たてまつらまほし。

帚木《ははきぎ》

「帚木」の帖は、光源氏が近衛《このえ》の中将となった十七歳のころの物語である。

「なが雨晴れまなきころ」と書かれているので、梅雨のころであろう。当時の朝廷人は、陰陽道《おんようどう》を信じ、なにごともその方術によって行動していた。そのとき光源氏も物忌《ものい》みで、宮中に籠《こも》っていた。そこへつれづれに若い貴公子たちが集まってくる。これが有名な「雨夜の品定め」の場面である。

もっとも親しくしている頭《とう》の中将《ちゅうじょう》がやってきて、二人は、漢書をみたりしていたが、頭の中将が厨子《ずし》（扉のついた木箱）のなかにあった色とりどりの紙に書かれた源氏あての恋文に興味をしめすので、差支えのないものならとみせている。

男君たちの「雨夜の品定め」

そこへ左馬頭《さまのかみ》、藤式部丞《とうしきぶのじょう》なども加わり、話がはずんで、かつてはかなりの地位にいながらいまは零落し、ひっそりと暮らしている人の娘には見どころがあるとか、いまになって成りあがって勢いのある者にはなにかと欠点が目立つとか、さらに、中流階級（中の品《なかしな》）にはいい女がいるなど、当時の身分制度をふまえながらの女性談義がくり広げられる。

このときの光源氏は、宮中でもくつろいでいる様子で、直衣《のうし》という、そのころの貴族男性の平常着を着ている。

「白き御衣《ぞ》どものなよよかなるに、直衣《なほし》ばかりを、しどけなく着なしたまひて、紐《ひも》などもうち捨てて、添ひ臥《ふ》したまへる御火影《ほかげ》、いとめでたく、女にて見たてまつらまほし」

光源氏は下にやわらかい白い下着を重ねて、直衣だけを紐で襟もとめずにしどけなく着て、脇息《きょうそく》かなにかに寄り添って座っている。その姿は、明かりに照らされてほんとうに美しく、女にしてみたいほどである、と紫式部は描いている。

『物語』のころの男性の夏の直衣というのは、三重襷《みえだすき》紋の、下の衣裳が透けてみえるような薄ものが多いようである。蚕《かいこ》が糸を吐いたままの、生《き》の絹によって織られた生絹《すずし》という布で仕立てられていて、ここでは藍か二藍《ふたあい》の色に染められたものを着ていたようである。

「二藍」という色

ここで、王朝の物語や詩歌によく登場する色名である「二藍」について、説明をしておこう。

二藍という文字からみると、藍が重なって、あたかも濃い青色のように思えるのだが、そうではない。

「藍」は、いまでは藍色のことをさすが、その昔は染料の総称でもあった。また赤の染料である紅花《べにばな》は、かつて中国の呉《くれ》の国から運ばれた染料であるところから、「呉藍《くれのあい》」と記された。だから青系の染料である蓼藍《たであい》で染め、呉藍（紅花）で染める、つまり二つの染料（藍）で染めたため、「二藍」とよばれる。

色彩は、青と赤が重なりあって紫色となり、その色調は、藍と紅のかけあわせの濃淡によって無限といってもいいほどの数になる。

二藍を染めるには、必ず藍を先に染める。というのは、藍甕《あいがめ》のなかは灰汁《あく》が入っていてアルカリ性になっているため、紅花を先に染めると赤の色素が抜けてしまうからである。ただし、刈りとったばかりの蓼藍の生葉で染める場合は、紅花で先に染めたのち、藍をかけるほうがいい。

物語にもどると、光源氏は、このとき聞いた話のなかで、中流で賢く品のいい女性のこと、頭の中将がお

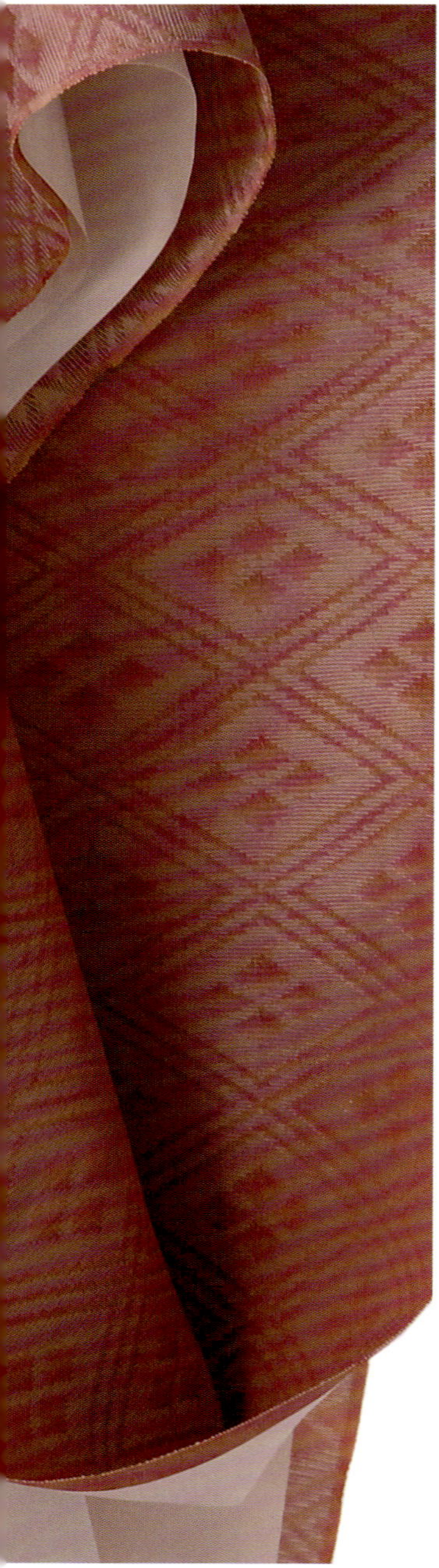

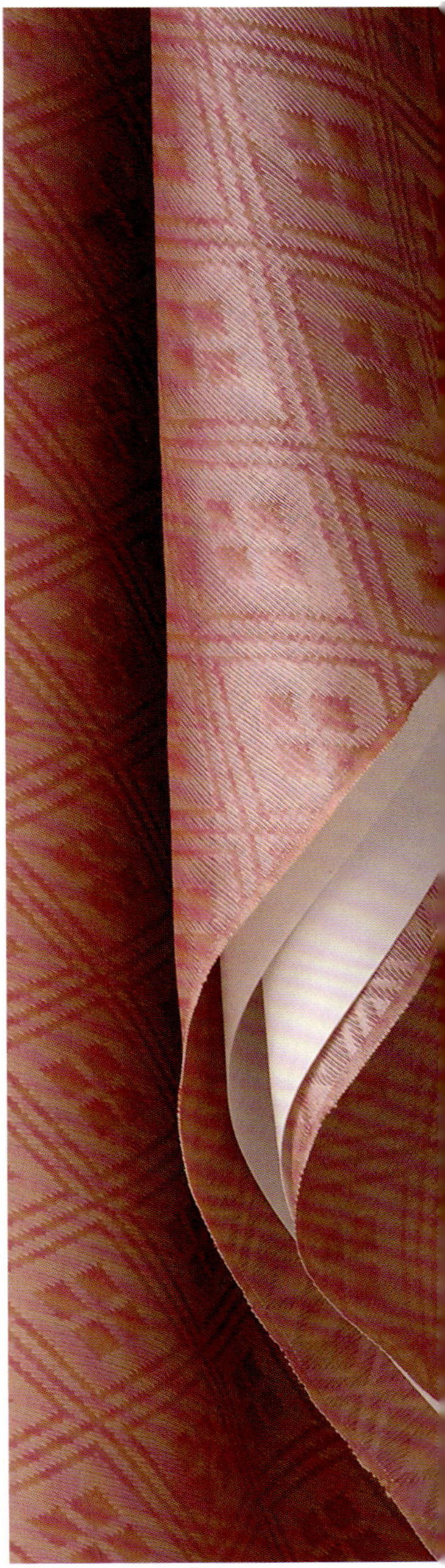

【光源氏の二藍の直衣】　蓼藍×紅花
　光源氏は十七歳という若さであるから、おそらく紅色の勝った赤味の強い二藍の直衣をしどけなく、つまりゆったりと着ていた。本文にも記したが、二藍の染色は藍を先に染めてから、そのあとに紅花をかけて紫系の彩りとする。

忍びで通っていた、いじらしくてかわいらしい、常夏《とこなつ》（撫子《なでしこ》の古名）のような女人の話が心にのこる。

中流の女・空蝉との契り

　頭の中将は、左大臣家、藤原氏の御曹司である。その北の方はそんな女人のことを知り、脅しをかけたようで、娘が一人いたのに女人は姿を消してしまったと聞き、ますます興味をもつ。こうした話が、のちの「空《うつ》蝉《せみ》」と「夕顔《ゆうがお》」へと展開していくのである。

　光源氏は左大臣の娘葵の上と結婚しているが、当時は通い婚の形式で、女性は生家に住んでいるのがつねであった。葵の上は左大臣家に住んでいたが、源氏にとっては、いわば政略的な結婚であったし、四歳年上で気位の高い葵の上には、あまり魅力を感じていなかったようで、通うのもとだえがちであった。

　さまざまな女性観を論じあった翌日、光源氏は左大臣家を訪れる。しかし、その夜は方角が悪いため、方《かた》違《たが》え、つまりよそへ移って寝所を変えることになる。

　そこで、都の東を流れていた中川の水を邸内に引き入れて涼しげに建てられているという紀伊守《きいのかみ》の家へゆくことになった。

　そこには、紀伊守の父である伊予介《いよのすけ》の家の者たちも逗留していた。そのなかには、伊予介の若妻で、紀伊守にとっては継母にあたる空蝉《うつせみ》と、その弟小君《こぎみ》がいた。

空蝉は衛門督《えもんのかみ》の父が亡くなって後見《うしろみ》が弱くなったので、仕方なく年老いた伊予介に嫁ぎ、それに頼って弟もついてきているという素性を聞かされる。「雨夜の品定め」のおりの、中流の女の話を思い出し、光源氏は空蝉に興味をもつ。

京都御所清涼殿（佐々木慶明）

　夜になって、酒などの接待を受けたあと、光源氏は空蝉の寝所に忍んでいった。空蝉は突然のことに驚いて、人違いでは、と拒むのだが、光源氏は強引に契るのだった。
　翌日、光源氏は自邸へ帰るが、なにかと空蝉のことがいとしく思われ、紀伊守をよび出して、小君を自分のもとへ差し出すようにいう。
　その後、ふたたび紀伊守邸を訪ねて空蝉に情交を迫るのだが、彼女は頑なに拒絶の態度をとりつづけるのであった。

【いろいろの紙】 紅花・紫根・黄蘗・蓼藍・矢車など

　頭の中将が光源氏に送られてきた手紙などをみる場面に注目した。箱から「いろいろの紙なる文《ふみ》ども」、彩りがさまざまな手紙を出して、とある。

　往時は衣裳の襲《かさね》の色目を季節の草花の彩りにあわせたが、手紙にも、植物染で染めた和紙を使った。それゆえに貴族たちは紫、紅、青、緑といった染和紙《そめわし》をつねに何枚も用意しておいて、その季節にふさわしい色の紙を組みあわせて文を贈ったのである。

　左に掲げたものも、そうした王朝人の和紙の彩りに思いをはせて、紅花、刈安《かりやす》、黄蘗《きはだ》、蓼藍などの植物染で染めあげたものである。

空蟬

濃き綾《あや》の単襲《ひとへがさね》なめり、何にかあらむ上に着て、頭《かしら》つきほそやかに、ちひさき人の、ものげなき姿ぞしたる。白き羅《うすもの》の単襲《ひとへがさね》、二藍《ふたあゐ》の小袿《こうちき》だつもの、ないがしろに着なして、紅《くれなゐ》の腰ひき結《ゆ》へる際《きは》まで胸あらはに、ばうぞくなるもてなしなり。

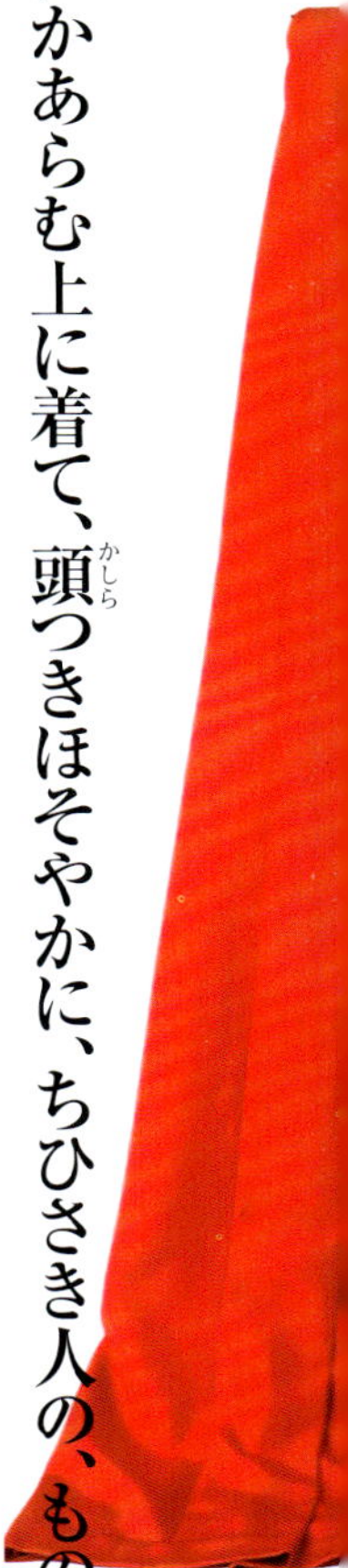

空蝉

うつせみ

光源氏は、自分を拒んだ空蝉に執着がつのり、その弟の小君《こぎみ》を連れて、三たび紀伊守《きいのかみ》の邸を訪ねる。当時の女性は御簾《みす》や几帳《きちょう》の陰に隠れて、夫や家族以外の男性には顔をみせない習わしになっていた。夕暮れのなか空蝉の部屋を垣間みると、だれにもみられていないと気を許して、格子戸は閉められておらず、几帳の帳《とばり》もあげてある。

源氏が垣間みた空蝉と軒端の荻

空蝉は、義理の娘である軒端《のきば》の荻《おぎ》と碁を打っている。

【空蝉と軒端の荻の衣裳】
空蝉（右）　単（幸菱紋《さいわいびしもん》と生絹《すずし》）・濃き紫の綾（紫根）
軒端の荻（左）　単（生絹）・二藍の小袿（紅花×蓼藍）・紅袴（紅花）

空蝉は、「濃き綾《あや》の単襲《ひとへがさね》なめり、何にかあらむ上に着て」ほっそりとした小柄な人であると記されている。ここで「濃き」と書いてあるのは、濃き紫のことで、当時は、たんに濃き、薄き、といえば、紫が省略されていると考えていい。

もう一人の軒端の荻は、「白き羅《うすもの》の単襲《ひとへがさね》、二藍《ふたあゐ》の小《こ》袿《うちき》だつもの、ないがしろに着なして、紅《くれなゐ》の腰ひき結《ゆ》へる際《きは》まで胸あらはに」した色白の、上背のある華やか

紫式部邸宅跡とされる廬山寺《ろざんじ》の「源氏の庭」（岡田克敏）

な顔立ちの娘のようである。

羅というのは、織るときに隣りあう二本の経糸《たていと》を振ってからませて、緯糸《よこいと》を打ち込んでいくもので、紗《しゃ》、絽《ろ》などといった表現は、そうした透けるような薄い布をさす。

二藍は、前の帖でもふれたように、藍と紅花をかけあわせた紫系の色で、小袿《こうちき》は、やや略式の上着のことである。

軒端の荻は、暑い夏だからだろう、まわりにはみているものがいないと思い、袴の腰の紐がみえるまで、胸をはだけていたと書かれている。

光源氏は、空蝉が義理の娘と碁を打つ様子をみながら、今夜訪れようと考える。夜になって、小君が姉のところへ光源氏を導いていく。空蝉は、光源氏が自分に思いを寄せてくれることには気持ちが揺らいでいるが、自分の身分を思い、頑なに拒みつづける。光源氏の気配に、生絹《すずし》の単《ひとえ》（下着）一枚を着て、そっと抜け出した。そこには、軒端の荻が一人とりのこされた。

光源氏は、暗闇のなかで、はじめは空蝉と思って引き寄せるのだが、やがて別人と知りながら関係を結ん

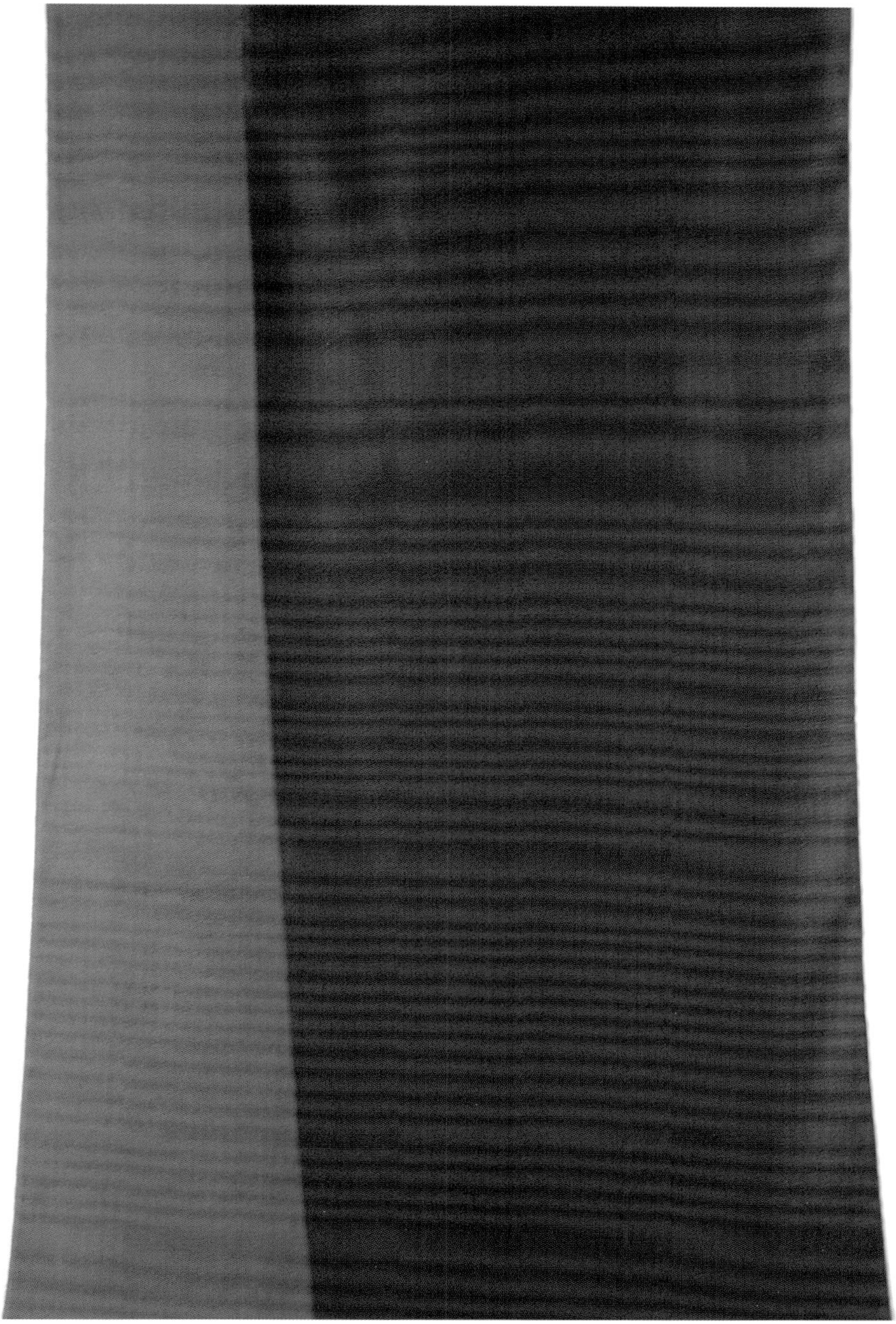

空蟬の「紫の綾」

でしまう。

そのあと、空蟬が脱ぎおいたらしい薄絹の上着を手に、彼女の香をしのびながら引きあげる。

源氏をあくまで拒む空蟬

「空蟬」というのは、蟬の脱け殻のこと。殻をのこして飛び出していく蟬の生態に、夕べの別れが連想されよう。

光源氏は、横になっても寝られず、手なぐさみのように畳紙《たとうがみ》へ歌を書きつける。

「うつせみの身をかへてける木《こ》のもとに
　なほ人がらのなつかしきかな」

蟬のように衣を脱ぎ捨てて逃げていった人は憎いけれど、のこされた殻（上着）に、その人柄をなつかしむ、と。

小君はその畳紙を届けるが、空蟬は、ゆきずりとも思えぬ源氏の様子を感じながら、嫁ぐ前であったらと、わが心を古歌に託すのであった。

「うつせみの羽《は》に置く露の木隠《こがく》れて
　忍び忍びに濡るる袖《そで》かな」

蟬の羽におく露は木の間に隠れてだれにもみえないように、私もひっそりと涙に袖を濡らしています、と密かな想いを抱いたまま、けっして光源氏に逢おうとはしなかった。

空蟬と軒端の荻の衣裳

この帖では、空蟬が義理の娘の軒端の荻と囲碁で遊んでいる場面を再現した。

単とは、今日では夏用の一枚仕立ての着物をいうが、王朝の時代は下着をさす。

本来は一枚だけ下に着て、二枚目からは袷《あわせ》にするのがつねだが、夏の日であるので、ここでは単を重ねている。その上に表着を着ているのだが、明確になにかは記されていない。

私見ではあるが、その夜、空蟬は光源氏が訪れたさいに下着だけをつけて、上衣を脱ぎ捨てて逃げる描写などから、薄い白絹ではないかと想像した。

いっぽう軒端の荻は、文字通り紅花と藍をかけあわせた二藍、それも若い女性らしく、紅がちのものに、下着は白い絹の単、そして紅の袴を配した。

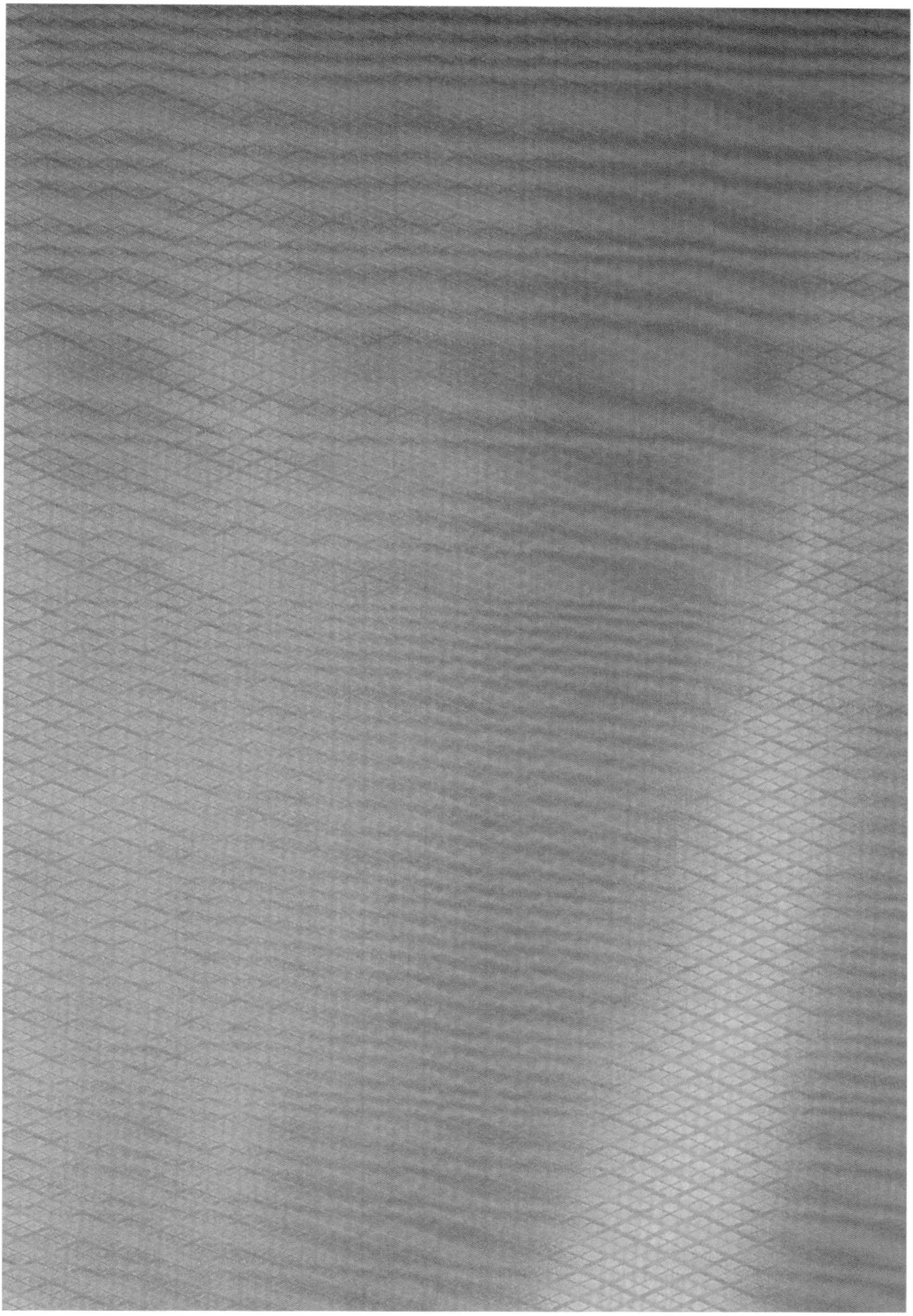

軒端の荻の小袿。若い女性らしく、ごく軽く蓼藍で染め、紅花をかけた二藍

夕顔

ゆうがお

空蟬《うつせみ》との悲恋と同じころ、光源氏にはもう一人、年上で気高い女性のもとへ密やかに通っていた。

六条に住んでいる女性で、父桐壺帝の弟君である元東宮に先立たれ、いまは一人娘と暮らしているという状況にある。

ある年の夏の夕暮れのこと、光源氏はその六条御息《ろくじょうのみやす》所《どころ》へ通う途中に、自分の乳母であり腹心の部下惟光《これみつ》の母でもある人が、年老いて病《やまい》がちになっているのを見舞うため、その五条の家に立ち寄る。

この家の隣に夕顔の花が緑の葉を背景に白く咲いているのに源氏は気をとられる。一枝折ってもらってくるようにと随身《ずいしん》に命じる。

夕顔の花咲く五条の家

「さすがにされたる遣戸口《やりどぐち》に、黄なる生絹《すずし》の単袴《ひとへばかま》、長く着なしたる童《わらは》の、をかしげなる、出で来て、うち招く。白き扇の、いたうこがしたるを、『これに置きて参らせよ。枝もなさけなげなめる花を』とて、取らせたれば、門《かど》あけて惟光《これみつ》の朝臣《あそむ》出で来たるして、奉らす」

風情のある出入口から、黄色に染められた生絹《すずし》の単袴、つまり夏の袴を長く着こなしたその家の召使の少女が出てきた。

香を十分にたきしめた白い扇を差し出して、これに花をのせて差しあげてください、蔓草で枝の弱いものですから、というので、乳母の家の門から出てきた惟

【夕顔の襲】 花の白（生絹）・花粉の黄（刈安）・葉の緑（蓼藍×楊梅）

童の衣裳の「黄なる」というのは、支子《くちなし》や刈安《かりやす》といった黄色の染料で染めた色のことをさしているのだろう。

私は、この童の衣裳は「黄なる」を夕顔の花の花粉と見立てて刈安で染めた。花は白、それに葉の緑を蓼藍と楊梅《やまもも》の黄色をかけあわせて染めあげた。夏の夕暮れになると開く花の姿を想定してもらおうと考えた。

生絹と書いて「すずし」と読むが、これは、蚕が吐いたままの透明な、ややシャリ感のある絹のことをいう。現代人が着ているのほとんどは、練絹《ねりぎぬ》、つまり生絹を藁灰《わらはい》の灰汁《あく》のなかに入れてやわらかくした不透明なものが多い。

平安朝の公家たちは、衣裳を何枚も重ねて着て、上に透明感のある生絹を着て光を透過させ、色を効果的に表現しようとしていた。したがって、こうした透明でやや固い、張りのある絹がふさわしいと思う。

夕顔

黄なる生絹《すずし》の単袴《ひとへばかま》、長く着なしたる童《わらは》の、をかしげなる、出で来て、うち招く。

光を通じて光源氏へ差しあげた。

おそらく、この家の女主人からいわれたのだろうが、香を深くたきしめた扇に花をおくというのは、いかにも優雅な趣向である。

乳母は、老齢で弱々しく、惟光をはじめ兄弟が寄りあうなか源氏に見舞われてたいそう恐縮し、光源氏は幼いころの礼をいってなぐさめるのが精一杯だった。

夜になって乳母の家をあとにしようとするとき、光源氏は昼間の扇をみる。

「惟光《これみつ》に紙燭《しそく》召して、ありつる扇御覧ずれば、もてならしたる移香《うつりが》、いと染《し》み深うなつかしくて、をかしうすさび書きたり。

心あてにそれかとぞ見る白露の
光そへたる夕顔の花

そこはかとなく書きまぎらはしたるも、あてはかにゆゑづきたれば、いと思ひのほかにをかしうおぼえたまふ」

もらった扇は白扇かと思っていたのだが、紙燭を灯させてみると、「白露がいっそう光を添える夕顔のような美しい方を、あて推量ながら、源氏の君と存じあげます」という意味の歌が書かれており、筆跡もおくゆかしい。このような侘びた住まいにしては気品が感じられると、光源氏はたいそう興味を覚えるのであった。

紙燭とは、松の芯の油の多いところを細く蠟燭《ろうそく》のように削り、手元のあたりに和紙を巻いたもので、その先に油をつけて燃やす携帯用の明かりのことである。

夕顔とのはかない別れ

この女性が、「帚木《ははきぎ》」の帖で光源氏や頭の中将たちが集まって、「雨夜の品定め」をしているとき、頭の中将が、いまは行方が知れないが、常夏《とこなつ》（撫子の古名）のようない女がいたと語っていた女人と重なりあってきた。

光源氏は、夕顔がどのような素性の

松の芯でつくられた「紙燭」

白き扇の、いたうこがしたるを、「これに置きて参らせよ。枝もなさけなげなめる花を」とて、取らせたれば、門《かど》あけて惟光《これみつ》の朝臣《あさむ》出で来たるして、奉らす。

夕顔はウリ科で、夏の夜に白い花を咲かせる。夕顔の童が差し出した白い扇をイメージした

人であるかを惟光に調べさせたが、詳《つまび》らかにはわからず、しかし、夕顔に対する想いはつのり、身分を隠し、顔を隠して通うことになる。

八月十五日、仲秋の満月の夜、源氏は夕顔のもとに泊まる。

この夕顔の住まう五条のあたりは庶民的なところで、家は立てこみ、近所の人の話し声や、白妙《しろたえ》の衣を打つ砧《きぬた》の音などもかすかに聞こえる。

しかし、夕顔は、「白き袷《あはせ》、薄色《うすいろ》のなよよかなるを重ねて、はなやかならぬ姿」という衣裳で、気取りがなくて、おっとりしており、源氏を信頼しきっているようであった。

やがて明け方近く、源氏は、夕顔と二人きりの逢瀬を楽しもうと、お忍びで、かつては由緒ある邸であった「なにがしの院」へ出かけることにするのだ。

この「なにがしの院」は、嵯峨《さが》天皇の皇子　源　融《みなもとのとおる》（八二二〜八九五）の大邸宅「河原院《かわらのいん》」をモデルにしているとされる。

いまは荒廃して門も荒れ果て、草も茂り放題、池も水草に埋もれているが、お供は夕顔のお付きの女房右《う》近《こん》だけであり、まさに隠れ所へ忍んでいるという風情である。

二人は仲睦まじく過ごすが、宵が過ぎたころに光源氏がまどろんでいると、美しい女人が源氏の枕元に立って、

「己《おの》がいとめでたしと見たてまつるをば、尋ね思ほさで、かくことなることなき人を率《ゐ》ておはして時めかしたまふこそ、いとめざましくつらけれ」

私が立派な方とお慕い申しあげているのに、こんな取柄のない女を愛されるなんて、うらめしいことです、と夕顔を起こそうとする。

光源氏はその生霊に対して、太刀を抜いて魔除けとし、邸の宿直人《とのいびと》をよんで紙燭をもってこさせるが、夕顔はすでに息

布を打って艶をだすのに用いる「砧」

渉成園の園内（佐々木慶明）

絶えてしまっていた。

いったい何事が起こったのか、光源氏は錯乱したかのように心も乱れ、駆けつけた惟光に夕顔の亡骸《なきがら》を託して当時の葬送地であった東山へ送ったあとも、とても平静ではいられない。

夢とも現《うつ》つともわからず、源氏は茫然と二条院へ帰った。

この帖は、夏の夕べにほんのわずかの間だけ開く美しい夕顔の花のように、光源氏と出会ってからほんのひとときの逢瀬ではかなく散っていった薄幸の美女の物語なのである。

この「なにがしの院」すなわち「河原院」を現在の東本願寺の飛地境内「渉成園《しょうせいえん》（枳殻邸《きこくてい》）」とする説があるが、これは江戸後期の儒学者頼山陽《らいさんよう》が誤って伝えたことで事実ではない。ただ、渉成園の庭園に往時の風趣を十分にみることはできよう。

なお、この夕顔の遺児がのちの帖で注目される「玉鬘《たまかずら》」であることは、まだ読者に伝えられていない。

若紫

わかむらさき

『源氏物語』も、「若紫」の帖あたりから佳境に入っていく。その前半部分は、『物語』においてきわめて重要な序となっている。

光源氏が十八歳の春おそく、もう都では桜の花が散った三月の末のことである。瘧病《わらわやみ》（マラリア）に罹った光源氏は、北山のなにがし寺（鞍馬寺《くらまでら》だといわれている）に住まう僧都《そうず》のもとへ加持《かじ》祈禱による治療を受けにいく。

当時は病気になれば、天台宗であれば比叡山で厳しい修行をおえた僧がその治療の任にあたっていた。

「三月の晦日《つごもり》なれば、京の花ざかりはみな過ぎにけり。山の桜はまださかりにて」

とあるように、都など低地では桜の花は盛りを過ぎたが、山ではまだ咲きほこっていると記されている。いまの四月中旬ころであろうか。

桜花ののこる鞍馬山での遭遇

僧都による加持のあと、光源氏が点在する僧坊や庵などを見わたす。幾重にも折れ曲がった山道の下に、同じような小柴垣《こしばがき》だが、きちんと囲いをめぐらしてこざっぱりした建物がある。

そこには、「きよげなるおとな二人ばかり」と童女が何人かいて、仏に供える閼伽《あか》の水を用意したり花を整えたりしているさまがうかがわれて、源氏は興味をひかれる。

【若紫の山吹の襲】 山吹襲（表裏とも支子）・白い袿（表　小葵紋《こあおいもん》・裏　平絹）

「白き衣《きぬ》、山吹《やまぶき》などのなれたる」を着た、のちの紫の上となる少女は、衵《あこめ》という裾の短い袿《うちき》に山吹の花の色が重なった汗衫《かざみ》（上着）を着ていると想像される。

『古今和歌集』収載されている素性《そせい》法師の歌に、「山吹の花色衣ぬしやたれ問へどこたへず口なしにして」という歌がある。山吹の花の彩りの衣裳が脱ぎかけられている。これはだれのものかと問うてみても返事がない、支子《くちなし》（口無し）の実で染められているから無理もないという意味である。

ここでは支子の実でわずかに赤味のある黄色の濃淡を染め、それに白い衣を添えて夕日が射す庵の庭に、山吹の花が咲いたように可憐な幼い紫の上の姿をあらわした。

なお支子および刈安は『延喜式』にも記載されている、古くから日本人が用いてきた黄色の染料である。

若紫

中《なか》に十《とを》ばかりにやあらむと見えて、白き衣《きぬ》、山吹《やまぶき》などのなれたる着て、走り来《き》たる女子《をんなご》、あまた見えつる子どもに似るべうもあらず、いみじくおひさき見えて、うつくしげなる容貌《かたち》なり。

鞍馬寺仁王門（岡田克敏）

春の日の長い夕暮れ、多くの随身を先に都へ帰して、源氏は気のおけないお供の惟光《これみつ》とともに、さきにみた小柴垣の庵へと向かう。

「中《なか》に十《とを》ばかりにやあらむと見えて、白き衣《きぬ》、山吹《やまぶき》などのなれたる着て、走り来《き》たる女子《をんなご》、あまた見えつる子どもに似るべうもあらず、いみじくおひさき見えて、うつくしげなる容貌《かたち》なり。髪《かみ》は扇をひろげたるやうにゆらゆらとして、顔はいと赤くすりなして立てり。『何ごとぞや。童女《わらはべ》と腹立ちたまへるか』とて、尼君の見上げたるに、すこしおぼえたるところあれば、子なめりと見たまふ。『雀の子を犬君《いぬき》が逃《にが》しつる。伏籠《ふせご》のうちに籠《こ》めたりつるものを』とて、いとくちをしと思へり」

これは『源氏物語』のなかでももっとも重要な場面の描写である。

光源氏が小柴垣越しにのぞいていると、尼君が花を供えて仏壇にお祈りしているのだが、その姿は普通の身分の人ではなく、四十すぎの上品な人柄がうかがえる。

そのとき庭では女の子が何人か遊んでおり、そのなかに十歳ばかりの、「白き衣、山吹などのなれたる」などを着た少女に光源氏は惹かれるのであった。

その子はほかの子どもたちとはまったく違って、成人すれば必ずや美しい女人になるだろう、と源氏は思う。髪は扇を広げたように美しく、だれかと似ているようだと感じている。

その童女は、着物に香を薫きしめるときに用いる香《こう》炉《ろ》の伏籠《ふせご》という覆いに雀を飼っていたのだが、それを犬君という召使いの童女が逃がしてしまったと泣いているのである。

「時にあひたる」ことの重要性

『物語』のなかで光源氏がもっとも愛する女性となる紫の上が、この山吹の襲《かさね》を着た幼い女の子なのである。まだ愛らしい少女であるが、気品があって、どこかでみたような顔と思ったのは、光源氏が密かに愛する父桐壺帝の女御、藤壺宮の姪にあたる姫であったからであった。

　私のように、植物染料によって日本のいにしえの色を再現する仕事をしているものにとっては、王朝の物語にあらわされた色を学ぶことがまず基本といってもよく、『源氏物語』を読んでいても、紫式部がいかに洞察力にすぐれ、季節を細《こま》やかにとらえていたか、そしてそれをいかに巧みに色彩にあらわしていたか、その筆力に感心させられる。

山吹の花（岡田克敏）

　この帖のはじめに、季節は桜が散るころであると記されている。鞍馬山でみた一人の少女は、山吹、つまり桜のあとに咲く花の色あいの衣裳を着ている。「時にあひたる」、つまり季節にあうということを大切に考えるということが、王朝人にとってたいへん重要なことだったことがうかがわれる一文である。季節にあう色彩を着ているということは、またその教養の深さと身分の高さをあらわすことでもあった。

　紫式部が、この帖のはじめに、桜のことを書き、そのあとに山吹の襲を着ていることを記すのは、まさに「時にあひたる」心憎い手法だと私は考えている。

光源氏が愛する藤壺宮と若紫

　光源氏は、この晩は僧都のところに泊まり、少女の素性を聞く。尼君の娘は、兵部卿宮《ひょうぶきょうのみや》に見初められてこの女の子を産んだが、気苦労が多くすでに亡くなってしまったので、祖母にあたる尼君が手元で育てているのだという。

兵部卿宮は、源氏が恋する藤壺宮の兄にあたるわけで、その面影を伝えているのも無理からぬことであった。

光源氏はこの少女を引き取って都の自らの邸で育てたいむねを僧都に話す。北山から都へ帰った源氏は、少女を想い、尼君に文《ふみ》を出したりする。

そのいっぽうで、藤壺宮に対しての思いもたちがたく、王命婦《おうのみょうぶ》という藤壺宮づきの女房の手引きで、逢瀬をかなえさせるのである。そして藤壺宮は源氏の子を宿すことになる。

病《やまい》も少し快方へ向かった尼君も北山から都へ帰ってくるが、やがて、亡くなったという悲しい報せが届く。兵部卿宮が娘を引き取ろうとするが、源氏はその気配を察するや、ひそかに少女を二条院の自邸へ連れ帰ってしまうのであった。

少女はいまだ十歳。あどけない姿形で、祖母の喪に服すために「鈍色《にびいろ》のこまやかなる」、つまり、濃い灰色の衣裳を着ているのだが、その笑い顔がたいそうかわいらしい。

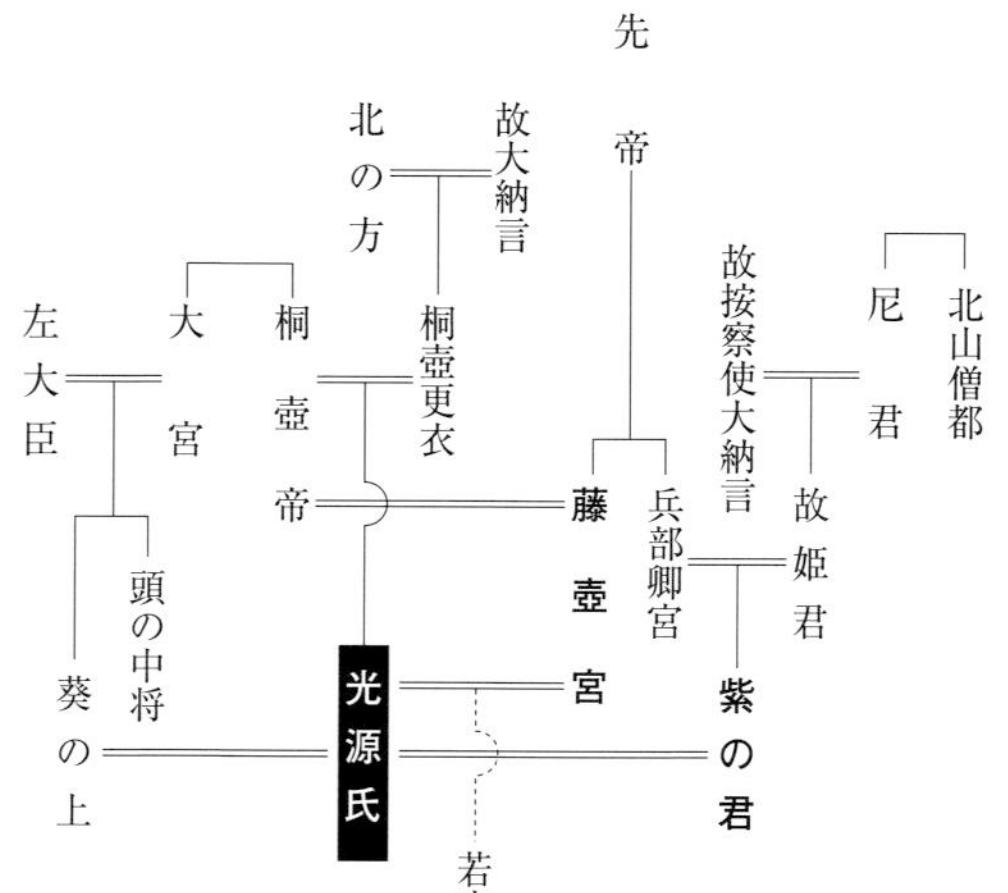

この当時、近親者が亡くなると、喪に服していることをあらわすために、鈍色、つまり団栗《どんぐり》や矢車《やしゃ》などで染めて、鉄分で発色させた墨色の衣服をまとっていた。少女は祖母という近親なので、「こまやかな」、つまり濃いめの色を身につけている。

「紫のゆかり」ということ

光源氏は、その若姫に手習いを教えたり、絵をみせたり、歌を詠み交わしたりして相手をしている。
源氏はこのとき、
「知らねども武蔵野といへばかこたれぬ
よしやさこそは紫のゆゑ」
という歌を書くが、それは、『古今和歌集』の、
「紫の一本《ひともと》ゆゑに武蔵野の
草はみながらあはれとぞ見る」
という歌をふまえて詠んだものであった。おそらく

染料となる紫草の根（紫根）

源氏は、武蔵野は若君を、紫は藤壺宮を思ってのことだろう。そして、

「ねは見ねどあはれとぞ思ふ武蔵野の
露分けわぶる草のゆかりを」

と詠む。紫草は、根に紫の色素を含む植物で、高貴な紫色をあらわす重要な染料である。

この根は、土のうえからはみえないのだが、地中に広く張っていて、隣の株とも絡みあっている。平安時代には武蔵野の大地に多く生育していた。

紫の色は「ゆかりの色」といわれるが、それは表面にはあらわれなくても、根はたがいに絡みあっていて縁があるためなのである。

光源氏は、これらの歌で、藤壺宮は、私には冷たくしているが、そのゆかり（少女は姪にあたる）のあなたは、つれなくしないでください、という気持ちをこめている。『源氏物語』は紫のゆかりの色がその根底にいつもおかれている。この幼い少女はまだ若い紫なのである。

末摘花

「なつかしき色ともなしに何にこの
すゑつむ花を袖に触れけむ」

末摘花
すえつむはな

光源氏は夕顔のことが心のこりで、いくら思っても思いきることができなかった。

そんなおりに、光源氏の乳母の娘である大輔《たいふ》の命婦《みょうぶ》から、いまは亡き常陸宮《ひたちのみや》が晩年にもうけられた姫君の話を聞く。

宮がたいそう慈しんで育てられた姫君が、一人寂しく琴を友に暮らしているという。

春の夜に、光源氏はお忍びで常陸宮の邸へ行き、姫の琴の音を聞く。姫君の様子をうかがいに寝殿《しんでん》のほうへ立ち寄ったところで、頭の中将にみつかってしまう。頭の中将は、内裏《だいり》を出るところから光源氏をつけていたのである。二人は、競って姫に文《ふみ》を送るようになる。しかし返事はどちらにも届かない。

秋になり、光源氏は命婦に手引きをさせて、ようやく姫君の邸を訪れて契ることになる。

平安貴族の習わしとして、このように男性が女性と一夜をともにすると、後朝《きぬぎぬ》の文《ふみ》といって、男性は自邸に帰宅してから午前中には手紙を届けることになっていた。もちろん女性からも返事を出す。このときの手紙には、襲《かさね》の衣裳と同じように、季節にふさわしい色に染めた和紙に書いた。

源氏の後朝の文への姫君の返事が書かれた和紙は、「紫の紙の、年経《へ》にければ灰《はひ》おくれ古めいたる」ものであった。

紫の色は、植物染では紫草の根、つまり紫根で染める。紫根から取り出した染料に浸けるだけではよく染まらないため、そのあとで椿《つばき》の生木を焼いてつくった灰の灰汁《あく》で発色させる。染色の専門的な言葉でいうと、媒染《ばいせん》する、ということになる。かつては名門であった姫君の家も、父宮が亡くなられたあとはさびれ、紫に染められた紙も、年数とともに色が抜け、「灰おくれ」つまり、灰の成分で白っぽくなってしまっているというのだ。

末摘花の容貌に驚く源氏

ある雪模様の宵、光源氏は常陸宮邸を訪ねて、次の朝、雪の庭をみようと姫君を誘う。

そこで姫君の顔立ちや姿をはじめてはっきりとみた

光源氏は、あまりのことに、みたことを後悔するほどであった。

姫君は胴長で、鼻は普賢菩薩《ふげんぼさつ》の乗物、すなわち白象のように長く、その先が赤くて不細工である。

この先が赤い鼻の姫君を、鼻と花をかけて、花びらの根元は黄色だが先は赤色をしている「末摘花《すえつむはな》」ともよばれる紅花《べにばな》になぞらえて詠んだ光源氏の歌、

「なつかしき色ともなしに何にこの
　すゑつむ花を袖に触れけむ」

がこの帖の名の由来となった。

当時は顔をみて恋愛をするのではなかった。一夜をともにした翌朝、二人だけになってはじめて顔をみあわすわけであるから、このようなこともあったのだろう。貴公子で美男子の光源氏の嘆きようは、言葉もなく、姫君だけでなく自分も口がふさがってしまったようだと表現されている。

しかし、どのような容姿であれ、光源氏はその後も文も欠かさず、姫君をはじめ、女房たちや召使いの着るものまで心にかけて常陸宮の姫君の生活を助けようとするのである。

【紅花について】

紅花の花

紅花はエジプト原産で、ペルシャ、インド、中国へとシルクロードを東漸《とうぜん》して日本へもたらされた。近年の奈良纏向《まきむく》遺跡の発掘調査から二〜三世紀には日本に渡来していたと推察されている。

紅花は、日本では七月に花をつける。花びらの根元のほうは黄色であるが、先端は赤く、茎には薊《あざみ》のようにトゲがあるので、花だけを夜露がのこる朝早くに摘みとり、花びらを乾燥させて染料として保存する。

江戸時代よりの産地となった山形地方では、摘みとって水で黄色の色素を洗ったのち、餅状にして保存する。これを紅《べに》餅《もち》という。寒い時期に染めると美しい彩りを醸《かも》し出し、「寒《かん》の紅」とよばれる。

おそらく奈良やその近郊、そして京の都でも紅花が咲いていたのであろう。『延喜式』にも産地と染色法が記されている。紫式部はそうした花の盛りをみて、花びらの下側が黄色で上のほうが赤くなっているところから、末摘花の姫君の描写となったと想像できる。

ここでは、乾燥させた紅花とその紅花で濃淡に染めた絹を紹介した（前見開き）。

紅葉賀

かざしの紅葉いたう散りすぎて、顔のにほひにけおされたるここちすれば、御前《おまへ》なる菊を折りて、左大将《さだいしやう》さしかへたまふ。

紅葉賀

もみじのが

「紅葉賀」の帖は、
「朱雀院《すさくゐん》の行幸《ぎやうがう》は神無月《かむなづき》の十日あまりなり」
という一節からはじまる。桐壺帝が、その父、光源氏にとっては祖父の上皇が住まう朱雀院へ行幸することになった。

このとき、桐壺帝が愛する藤壺宮はすでに光源氏の子どもを身籠っていた。帝は光源氏の舞姿をぜひ藤壺宮にもご覧にいれたいと思われるが、禁中以外での催しなので、天皇の妃や女御の方々はみることができない。

そこで御所の清涼殿の前庭で試楽《しがく》、つまりリハーサルをおこなって光源氏の舞をご覧にいれることになった。

光源氏は舞楽の「青海波《せいがいは》」を舞い、詩句を詠じたが、

【紅葉の襲】 右より茜×蘇芳・茜・渋木・渋木・安石榴

物語には朱雀院で舞う光源氏の青海波を観覧する女人たちの装束について、とくにふれられてはいないが、紅葉が松の常盤《ときわ》色を背景に散り舞う様子は、さぞかし人びとを感動させたであろうし、そうした自然の様子を予測して、女人たちは紅葉の襲をまとっていたであろうと想定した。

紅葉襲というとその色相が決まっているように思われるかもしれないが、往時の人びとは自分なりの紅葉をイメージし、色を重ねていた。

ここでは赤系の色を茜《あかね》と蘇芳《すおう》で、黄色系の色を渋木《しぶき》（山楊《やまもも》）の樹皮、安石榴《ざくろ》の果皮で染め出してわずかな色の差を出し、紅葉の暈繝《うんげん》とした。

紅葉の襲（茜×蘇芳）

紅葉の襲（渋木）

舞姿のみごとさはいうまでもなく、その声は、仏の声とも形容される迦陵頻伽《かりょうびんが》の声もかくやと思われる美しさであった。

その夜、藤壺宮は、桐壺帝より、今日の試楽は光源氏の青海波に尽きると思うがどうですか、と問われて、藤壺宮は心乱れて何とも答えのしようがなく、ただ、格別でしたというばかりであった。

松の常磐色と紅葉の対比の妙

朱雀院への行幸の当日は、紅葉の真っ盛りであった。庭には松の樹も数多く繁り、その常磐《ときわ》の緑を背景に、秋風に色とりどりの木の葉が散り交うなかで、光源氏が青海波を舞う。

紫式部は「いと恐ろしきまで見ゆ」と、恐ろしいほどの美しさであったと表現している。

頭に被った鳥甲《とりかぶと》に挿されている紅葉が、まるで光源氏の美しい顔に気圧されたように散ってしまった。

そこで左大将が菊を手折って差し替えたのである。

日暮れごろになって、ほんの少し時雨《しぐれ》かかり、空までもがその美しさに涙しているかのようだと記されている。

今日はとりわけ秘術を尽くした入綾《いりあや》、つまり舞の最後の場面での風情など、寒気を覚えるように麗しく、とてもこの世のものとは思えなかったという。

現在の京都御所もそうだが、天皇あるいは上皇の住まいには、松が多く植えられている。その緑を背景に、紅に黄に染まった紅葉が散っている。

いまの十一月中旬のころだろうか、京都では紅葉がいちばん美しいときである。

そのころに、ときおり時雨をみることがある。時雨というのは秋の終わりから冬にかけて降るにわか雨のことであるが、空が明るく、陽が射しているときにも降る。

また、北山のほうは少し暗くなっていて、山の端には雨がかかり、平地のほうは晴れているというようなときもあり、それを片時雨《かたしぐれ》という。

紫式部はこのような京都盆地の秋の終わりの移ろいを見事にとらえて描写している。

文章にはあらわされていないが、この朱雀院にも女房、童などきらびやかに着飾った女人たちもおり、御《み》

青海波の舞（中田昭）

簾《す》の内から光源氏の華麗な舞をみていたことだろう。そこには、散りそめる紅葉の色を映したような茜《あかね》の根で染められた黄がかった赤や、刈安《かりやす》や安石榴《ざくろ》で染められた黄色の色が重なりあったものをまとっている人もいたことであろう。

朱雀院の邸内には「時にあひたる」衣裳が幾筋も重なって、もうひとつの秋の色で彩られていたことと想像できる。

翌年二月になって、藤壺宮は無事に男子を出産する。帝はお喜びになって逢える日を待ち遠しく思っているが、光源氏と藤壺宮の不安と苦悩は増すばかりであった。加えて、その夏には、藤壺宮は弘徽殿女御《こきでんのにょうご》をおさえて立后され、中宮となった。

したがって、その若宮は将来、東宮に立太子されることが約束されたことになる。同時に、光源氏は宰相（参議）となる。

このように、光源氏は父桐壺帝のもと、いくつかの危うい情況に身を置きながらも、朝廷において確固たる地位を築いていくのである。

花宴

桜の唐《から》の綺《き》の御直衣《なほし》、葡萄染《えびぞめ》の下襲《したがさね》、裾《しり》いと長く引きて、皆人はうへのきぬなるに、あざれたるおほきみ姿のなまめきたるにて、いつかれ入りたまへる御さま、げにいと異《こと》なり。

花宴

はなのえん

「きさらぎの二十日《はつか》あまり、南殿《なんでん》の桜の宴せさせたまふ」

　源氏の父桐壺帝が、紫宸殿《ししんでん》の前庭にある左近の桜の前で宴を催された。

　その夜、上達部《かんだちめ》たちも大方が退出したあと、源氏は、このようなとき藤壺宮に会える機会がありはしまいかと、忍んで歩いていくが、戸口はどこも閉ざされていた。それでも諦めきれず、弘徽殿《こきでん》の細殿《ほそどの》に立ち寄ると、若々しい美しい声で「朧月夜《おぼろづきよ》に似るものぞなき」と口ずさみながらやってくる女人がいる。並の身分の女性とは思えない。源氏はとっさに女性の袖をとらえて細殿の部屋にかかえて情を交わす。

　夜が明けて源氏は女君の名前を聞き出そうとするのだが、答えはない。二人は契りの証として扇を取り交わして別れることになる。

　その扇は、「桜の三重《みへ》がさねにて、濃きかたにかすめる月を描《か》きて、水にうつしたる心ばへ」とある。

　このころの扇は檜《ひのき》の薄板を重ねる檜扇で、夏だけは、竹の骨に和紙を張った蝙蝠《かわほり》扇（夏扇）を用いていたようである。季節は春なので、檜の板のうえに、紅色に胡粉《ごふん》か白土を混ぜた淡い色を塗って、桜色の暈繝《うんげん》にしたものだろう。濃いところには霞んだ月を描いて、水面に映してあるものであった。

　このあとも、源氏はこの朧月夜の君を忘れがたく、その身分を探ろうとする。

藤の花宴の源氏の衣裳

　そんなおり、じつは朧月夜の君の父君である右大臣の邸で藤の花宴が催された。桜の盛りはすぎていたが、おくれて咲く二本の桜があり、趣のある華やかな宴となった。

　そのときの源氏の出《いで》立ちは、

「桜の唐《から》の綺《き》の御直衣《なほし》、葡萄染《えびぞめ》の下襲《したがさね》、裾《しり》いと長く引きて」

　というものであった。ほかの人たちは正装だったが、ちょっと洒落た普段着の直衣姿である。

「桜の唐の綺」とは、白い唐織《からおり》ふうな織物で下がやや透けてみえる生地を、赤地の布に重ねた華やかなとり

あわせであって、下の赤が透けて、淡い桜色に映るのである。
この襲《かさね》を「桜の襲」という。
少し夜が更けたころ、光源氏は右大臣家の姫君たちが集うところへいき、酔ったふりをしながら、御簾《みす》のなかへからだを差し入れる。さらに几帳《きちょう》の奥には朧月夜の君がいるのではと、心当てに扇を取り交わしたことをほのめかしてみる。
ため息をつく気配の人の手を、几帳越しにとらえて歌を詠みかけると、それはまさしくあの夜の女君だったのであった。

【源氏の衣裳】

桜の襲の取りあわせは何種類もあり、表が白で、裏が赤花（紅花染）か、蘇芳《すおう》（蘇芳染）のとりあわせ、また、表が蘇芳（蘇芳染）で裏が赤花（紅花染）といったものもある。
図版の源氏の衣裳は、下を紅花で赤く染め、その上に冬の直衣でやや厚めに織った白い花の丸紋の生絹《すずし》を重ねて下の紅色を透光させ、淡い桜の花を連想させるように仕立てた。
下襲は葡萄《えび》色とあるので、紫根で染めて、そのあとに茜をわずかにかけて赤味を足した。指貫《さしぬき》（男性の袴）は香色《こういろ》がふさわしいと思い、丁字《ちょうじ》で染めた。

葵

葵

あおい

「花宴」からおよそ二年の歳月がたち、その間に桐壺帝が譲位し、朱雀帝《すざくてい》が即位されている。

それにともなって、賀茂《かも》社に奉仕する斎院《さいいん》も代わることになり、つぎの斎院には、弘徽殿大后《こきでんのおおきさき》の娘、女三の宮に決まった。

賀茂社では、斎院に選ばれると賀茂川で禊《みそぎ》をして、宮中で潔斎《けっさい》をし、三日目にふたたび賀茂川で禊をしたのち上賀茂、下鴨の両社に参拝して紫野《むらさきの》の野宮《ののみや》に入る儀式をすることになっていた。

その潔斎の日は、賀茂の祭（今日の葵祭）の前日におこなわれるため、朝廷に仕える源氏をはじめ数多くの上達部《かんだちめ》たちも、束帯《そくたい》という正装でその行列に参列することになっていた。

賀茂祭前日の「車争い」

一条通の賀茂川へ通じるあたりは、貴公子たちを一目みようと多くの人びとが集まってきた。牛車に乗ってみる人、設けられた桟敷に座ってみる女房たち。その女人たちが下簾《したすだれ》から袖口を出している（出衣《いだしぎぬ》という）のをみるだけでも壮観であったと、紫式部は表現している。

源氏の正妻葵の上の車は停めるところを探して、あたりの車を退けさせた。

そのなかに由緒ありげで、下簾からわずかにのぞく袖口も美しく、明らかに人目をはばかっていることのわかる車が二台あった。その車の供の者たちは、この車は押し退けられる筋合いのものではないと、手を触れさせようとしない。六条御息所《ろくじょうのみやすどころ》の車であることがわかって、酔いも手伝って双方の下僕たちの争いとなってしまった。

しかし葵の上の車が勝って、御息所の車はうしろに押しやられてしまった。

【葵の葉の色彩】 蓼藍×黄蘗の四枚

車争いの場面で、牛車から美しく着飾った女人たちの衣裳が御簾から「出衣《いだしぎぬ》」として少しのぞいていて、さぞ華やかな様子であったことがしのばれる。ここでは賀茂祭（葵祭）の象徴である葵の葉をイメージして、薄絹に藍蓼と黄蘗《きはだ》をかけて萌え出る色を表現した。

これが有名な「車争い」の場面である。

葵の上の死と鈍色の装束

そうこうしているうちに、葵の上が、物《もの》の怪《け》にたいそう苦しむようになり、さまざまな加持祈禱《かじきとう》がおこなわれた。しかし、どうしても病人から離れず、じっと取りついている物の怪が、どうやら六条御息所の生霊《いきりょう》であることを源氏は思い当たることになる。

やがて男の子（夕霧）を産んだ葵の上は、その物怪のために亡くなってしまう。

源氏は喪に服して、

「にばめる御衣《ぞ》たてまつれるも、夢のここちして、われ先立たましかば、深くぞ染めたまはましとおぼすさへ、

限りあれば薄墨衣《うすずみころも》浅けれど

涙ぞ袖をふちとなしける」

と詠んでいる。

この時代、近親者が亡くなると、墨色の衣裳を着て哀悼の意をあらわした。墨色、あるいは鈍色《にびいろ》と表現している。近親ほど濃い色のものを着る。妻の喪の場合、

牛車の下簾からのぞく「出衣」

夫は三カ月、夫のとき妻は一年間鈍色の喪服を着た。
鈍色の濃淡を染め出すには、団栗《どんぐり》や矢車《やしゃ》などの実を煎じた液で染めたあと、錆びた釘などを粥《かゆ》と木酢や米酢をあわせ、鉄分が溶けた鉄漿《かね》という液を使って発色させる。

六条御息所から源氏のもとへ弔問の文が届く。
「菊のけしきばめる枝に、濃き青鈍《あをにび》の紙なる文《ふみ》つけて」
というもので、深まる秋にふさわしく、咲きかけた菊の枝につけられ、濃き青鈍《あおにび》、つまり藍で染めたあと、団栗などをかけ、さらに鉄で発色させて墨色に染めた紙に書かれていた。

源氏は返事をしたためるが、それは「紫のにばめる紙」で、これは気品高く、紫根で染めたあと、薄く鉄分をかけあわせて鈍色にしている。

四十九日の喪が明けたあと、源氏は二条院に帰り、美しく成長した紫の君と夫婦として新枕《にいまくら》をむかえる。

フタバアオイ（岡田克敏）

青鈍の紙（蓼藍×矢車）・紫のにばめる紙（紫根）

今すこしこまやかなる夏の御直衣《なほし》に、紅《くれなゐ》のつややかなるひきかさねてやつれたまへるしも、見ても飽かぬここちぞする。

【源氏の鈍色の直衣】 濃鈍（矢車）・紅（紅花）

葵の上の兄、頭の中将が源氏を見舞ったおりの源氏の直衣の色。頭の中将より少し濃い鈍色の夏の直衣の下に、光沢のある紅の袿《うちき》（下着）をつけていた。

【鈍色の五段】 淡鈍から濃鈍（すべて矢車）

喪に服す色「鈍色」は、身近な人ほど濃い色をまとう。ここではその濃淡の程度を、さまざまな鈍色の色調であらわしてみた。

賢木

御《み》簾《す》の端《はし》、御几帳も青鈍《あをにび》にて、隙々《ひまひま》よりほの見えたる薄鈍《うすにび》、梔子《くちなし》の袖口など、なかなかなまめかしう、奥ゆかしう思ひやられたまふ。

賢木

さかき

六条御息所《ろくじょうのみやすどころ》は、源氏への想いをたつため、斎宮《さいぐう》になる娘とともに伊勢へ下向する決心を固めた。当時、伊勢神宮の斎宮になる女性は、嵯峨の野宮《ののみや》にこもり、桂川の水で禊《みそぎ》をしていたという。

そこで源氏は、野宮に六条御息所を訪ねていった。旧暦の九月七日とあるので、秋の深まるころである。御簾《みす》ごしに御息所と対面した源氏は、御簾のなかに榊《さかき》（賢木）を差し入れて、

「変らぬ色をしるべにてこそ、斎垣《いがき》も越えはべりにけれ。さも心憂《う》く」

という。榊の木は、文字どおり神の木で、松とか杉のように、いつも緑をたたえている常緑樹である。そのような色を常磐《ときわ》色ともいう。源氏は自分の心もこの色のように変わらぬものであれば、あえて神域を越えて入ってまいりましたのに、心ない応対ですね、と御息所を問いつめるのであった。

このの ち、父桐壺院は病が重くなり、崩御する。源氏は喪に服して「藤の御衣《ぞ》にやつれたまへるにつけて

【藤壺宮の鈍色】 青鈍（蓼藍×矢車）・淡鈍（檳榔樹）・赤支子（支子×茜）

出家した藤壺宮を源氏が訪れる。

「御簾《みす》の端《はし》、御几帳も青鈍《あをにび》にて、隙々《ひまひま》よりほの見えたる薄鈍《うすにび》、梔子《くちなし》の袖口など……」

青鈍とは、藍で染めたあと、団栗や矢車などの実で染めて、さらに鉄漿《かね》をかけて薄青墨のような色あいにしたもの。まわりの女房たちも、おなじく薄鈍、つまり薄墨の衣裳や、支子（梔子）の実が秋になって熟した黄赤色の衣裳をまとっている。萱草《かんぞう》色ともいって出家したり、喪に服しているときの地味な色合いである。

藍と刈安で染めた和紙と榊の生木に木綿《ゆう》（楮の白皮）を結ぶ

も」美しくいたいたしげであると綴られている。

藤壺宮の出家

藤の御衣《おんぞ》とは、藤蔓《ふじつる》の繊維で織った藤衣《ふじごろも》のことである。藤蔓の皮をむき、外側の鬼皮をはぎ取り、内側の白皮を煮てやわらかくし、細く裂いて糸にしたものを織ったもので、古代より庶民の労働着とされていたが、

野宮神社の黒鳥居（岡田克敏）

平安時代には、喪服の別称にも用いられていた。

桐壺院が亡きあと藤壺宮も、院を退出して、出家をする決心をする。

このような背景には、弘徽殿大后《こきでんのおおきさき》が産んだ朱雀帝《すざくてい》が即位しており、弘徽殿大后につらなる一族（右大臣家）が権力を握れば、源氏など左大臣家の人びとが冷遇されることが暗に伝えられている。そうなれば、東宮（藤壺宮と源氏の不義の子）の将来さえ危ぶまれるのだ。

桐壺院の一周忌の法要のあと、藤壺宮は御八講《はこう》の準備をした。

「日々に供養ぜさせたまふ御経よりはじめ、玉の軸、羅《ら》の表紙、帙簀《ぢす》の飾りも、世になきさまにととのへさせたまへり」

お経の表紙は羅の織物とある。ふつう経糸《たて》を上下させて、緯糸《よこ》を入れて織るが、羅（うすものともいう）は、経糸をよじって斜めになったところへ緯糸を入れるという、複雑な工程の薄い織物である。

平安時代の女房装束の正装である唐衣《からぎぬ》の下につける裳《も》によく用いられた。

経巻を包む竹製の帙《ちつ》も、またとないほど立派につく

らせたとある。奈良時代から平安時代にかけては、仏教の経典は、単に紙に記すだけではなく、その料紙《りょうし》は、紫や紺、黄など美しい彩りに染めて、そこへ金泥や銀泥で文字を写し、表紙なども華やかなものがつくられた。御八講の最終日、藤壺宮は出家する。

春の除目《じもく》では、案の定、藤壺宮や源氏方の人びとに

淡鈍（檳榔樹）

は昇進はなく、義父である左大臣も辞職してしまう。

朱雀帝に出仕していた朧月夜《おぼろづきよ》の君は病を得て宮中を退出したが快方に向かい、やがて源氏と密会するようになる。そして、雷鳴がとどろく明け方、二人の密かな逢瀬は、とうとう源氏の政敵である右大臣の知るところとなった。

赤支子色（萱草色とも・支子×茜）

花散里

「橘の香《か》をなつかしみ郭公《ほととぎす》
花散里《はなちるさと》をたづねてぞとふ」

花散里

はなちるさと

亡くなった桐壺院の妃のひとりに麗景殿女御《れいけいでんのにょうご》という方がいた。その妹君（三の君）と源氏はときおり逢瀬を重ねていたのだが、いまは自邸にもどった麗景殿女御とともに暮らしている。

そこで、源氏は子どももなく寂しい暮らしの麗景殿を訪ねてお見舞いをして、久しぶりに三の君にも逢おうとする。

五月雨の合間のめずらしく晴れわたった日に、源氏は気軽な出立ちで向かった。

麗景殿女御の邸は、思ったとおり人気もなく静かで、源氏はまずは女御と夜が更けるまで桐壺帝の思い出を語りあうのであった。

ころはちょうど橘《たちばな》の花の盛りで、芳しい薫りがただよっている。

「橘の香《か》をなつかしみ郭公《ほととぎす》
　花散里《はなちるさと》をたづねてぞとふ」

昔を思い出させるように香り高い橘の花、その香をなつかしんで、橘の花散るこの里に郭公（私）はやってきたのです、という歌を源氏は詠む。

そのあと、源氏は目立たぬように三の君の部屋を訪ねる。

須磨《すま》、明石《あかし》に隠棲ののち、権勢を回復した源氏が、わが世の春を迎えて造営した六条院の夏の邸に住むことになる花散里がこの三の宮である。

ただ、この場面では、対面のおりの語らいや、三の君の性格などはとくに記されていない。

「花散里」は、源氏が都を離れる前の、短く静かな一帖である。

橘の花（中田昭）

【橘の襲】 花（白平絹）・葉（蓼藍×黄蘗）・実（刈安）

麗景殿女御と花散里（三の君）が登場するが、作者はふたりの衣裳についてはふれていない。麗景殿女御と源氏との間でかわされた歌や季節の花に思いをめぐらせて、橘の襲は花とやがて色づく実の色を重ねた。

【卯の花の襲】 花（白平絹）・葉（蓼藍×刈安）

花散里は橘と同じ季節に咲く卯《う》の花の襲をまとっていたのではないかと想像して、薄萌黄の葉に白い花をあらわす白い衣を添えてみた。

須磨

すま

朧月夜《おぼろづきよ》の君との秘事が露顕して、日を追って源氏の政界での立場は危うくなっていく。

なによりも藤壺宮との間に生まれた東宮にその累が及ぶことを恐れて、みずから退いてしばらく都を離れ須磨へ隠棲する決意をする。

長雨のころ、須磨の源氏から、京の人びとへ文が届く。紫の上は旅先での着衣を調えたが、直衣《のうし》も指貫《さしぬき》（袴）も現在の境遇を映したように無紋であるのも悲しく、別れの日、「あなたのそばの鏡に映る私の影は離れることはないでしょう」と歌った姿を思い浮かべていた。

須磨での手習いの日々

秋になり、寂しい日々を送る源氏について、

「つれづれなるままに、色々の紙を継《つ》ぎつつ、手習ひをしたまひ」

と書かれている。同じ紙を継いで巻き物風の手紙にするのは今日でもよくあることだが、平安朝のころからは、多彩な和紙を継いで一枚の料紙《りょうし》に仕立て、歌や文を流麗なかな文字で書くことが公家のあいだでは頻繁におこなわれていた。

京都西本願寺に伝来する国宝「本願寺本三十六人家集」は、そのもっとも美しい遺品である。

さらに、「唐《から》の綾《あや》などに、さまざまの絵どもを書きすさびたまへる屛風《びやうぶ》」ともあり、絹の生地に、源氏がみずから筆をとって、「人々の語り聞こえし海山のありさま」を描いている様子がうかがえる。

【源氏の衣裳】 ゆるし色（紅花×黄蘗）・青鈍（蓼藍×檳榔樹）

宰相の中将（頭の中将）が須磨を訪れたときの源氏の衣裳を再現した。

「ゆるし色の黄がちなるに、青鈍《あをにび》の狩衣《かりぎぬ》、指貫《さしぬき》、うちやつれて……」

「ゆるし色」とは、禁色、すなわち身分の高い人以外には禁じられている濃い紅や紫ではなくて、だれが着ても許されている色ということ。ここでは、紅花に黄蘗《きはだ》の黄色をかけて黄味のある薄紅にしたと思える。

「青鈍」は、蓼藍で染めたあと、檳榔樹《びんろうじゅ》で染め、鉄分で発色させた薄墨色。本来、喪に服するときの色だが、このような隠遁生活や旅の衣にも用いられたのだろう。

須磨

山がつめきて、ゆるし色の黄がちなるに、青鈍《あをにび》の狩衣《かりぎぬ》、指貫《さしぬき》、うちやつれて、ことさらに田舎びもてなしたまへるしも、いみじう、見るに笑《ゑ》まれてきよらなり。

ゆるし色（紅花×黄蘗）

夕暮れ、海のみえる廊下にたたずむ源氏は、白綾《しろあや》の袿《うちき》の上に紫苑《しおん》色の袿を重ねている。

私は、この紫苑色とは、紫草の根で染めたやや渋みのある紫と、葉をあらわすような萌黄《もえぎ》色の襲《かさね》のように思う。あるいは、表に蘇芳《すおう》の赤を、その下に藍を着て、光の透過による二色の混色によって、紫苑の花のようにみえたのかもしれない。

親友の来訪、そして暴風雨

このような生活のなか、都からはるばる源氏を訪ねて来る人もいる。

幼いころからの親友であり、葵の上の兄である宰相《さいしょう》の中将（かつての頭の中将）の一行である。右大臣の娘を妻としている頭の中将だが、弘徽殿大后の非難を覚悟しての見舞いである。たがいに一目みるなり涙がこぼれるのだった。

春三月上巳《じょうし》の日、海辺で禊《みそぎ》をしていた源氏は、暴風雨に襲われるが、あわよく難をのがれることができ、明け方ようやく仮眠をとっていると、その夢に異形の者があらわれた。

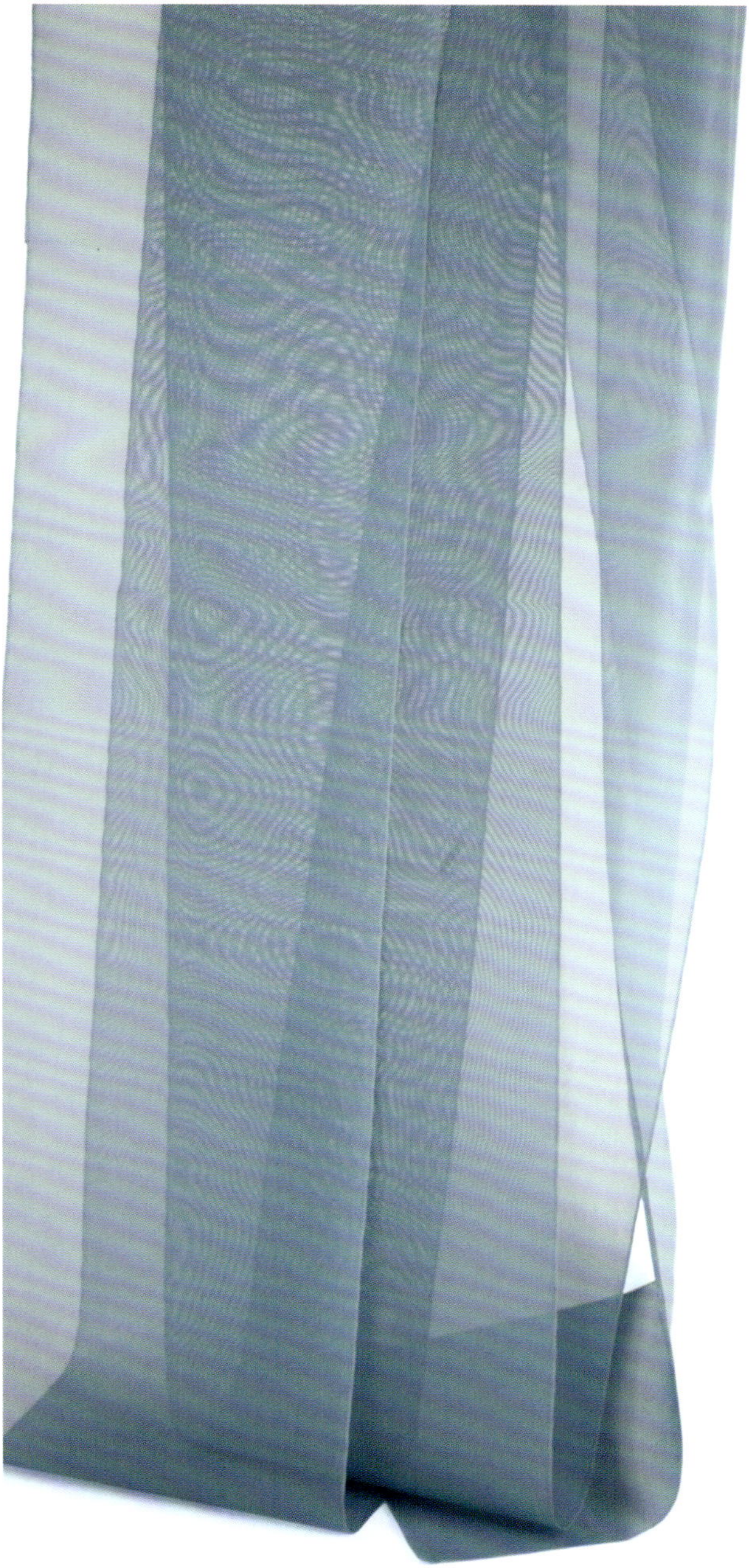

青鈍（蓼藍×檳榔樹）

明　石

あかし

いまだ「なほ雨風やまず、雷《かみ》鳴りしづまらで日ごろになりぬ」ため、源氏は瀬戸内海の東の端、海上の神として崇められている住吉《すみよし》神社（現在の住吉大社）の神に「色々の幣帛《みてぐら》ささげさせたまひて」、春嵐が鎮まるように願をかける。

幣帛は、神に奉るものの総称で、なかでもさまざまな色紙をつけた榊《さかき》のものは、私たちにもなじみ深い。日本では、かなり古くからあったようだが、弥生時代から古墳時代は、楮《こうぞ》の皮の黒い外皮をとった白皮や、麻の緒《しょ》などが用いられていた。七世紀に製紙技術が日本へ将来されると、榊に紙を垂らすこともあった。

はじめは白い紙だろうが、しだいに華やかな色に染めた紙や、五色の紙を捧げるようになったようである。それらは紫草の根、紅花、蓼藍、刈安などで染められていたと

想像される。

嵐もようやくおさまった夜、源氏の夢枕に故桐壺院が立ち、住吉の神の導くままに、舟に乗って須磨の地を去るようにと告げる。するとその翌暁、明石から前播磨守《はりまのかみ》の入道《にゅうどう》が源氏を迎えにやってきた。住吉明神のお告げがあったというのである。源氏は、考えた末、入道の舟に乗り、明石へ移ることにする。

この明石入道には一人の娘がいた。源氏は、その娘にしだいにひかれるようになって、文《ふみ》を交わすようになる。明石入道の娘へ源氏が送った最初の文は、「高麗《こま》の胡桃《くるみ》色の紙」にしたためられていた。高麗は、朝鮮半島の高麗の国をさす。貴族たちは高麗や中国から輸入した高価な紙を使っていた。

あまりに身分が違う方の文に返事をためらう娘。父の入道が代わって陸奥紙《みちのくにがみ》、つまり東北産の紙に返事をしたためる。源氏は、今度は優美な薄様《うすよう》に書く。娘はさらに気後れするが、ようやく「浅からずしめたる紫の紙」に歌をしたためる。紫根染の和紙のことである。

いっぽう、都では源氏の異母兄、朱雀帝《すざくてい》が目を病み、母弘徽殿大后《こきでんのおおきさき》の具合も悪くなる。源氏の君が罪もなく逆境に沈んでいる報いではと、帝は思い煩われる。

年が改まって、明石では入道の娘が源氏の子どもを宿すが、それとほぼ時を同じくして源氏は都へ召し返されることになった。


【胡桃色の紙と浅からずしめたる紫の紙】


胡桃色は『河海抄《かかいしょう》』という中世に著された『源氏物語』の注釈書によると、香色《こういろ》の紙、つまり丁子《ちょうじ》の実で染めた紙とされることが多いようである。しかし私は、これは素直に胡桃の実か枝などを煎じて染めたものと解したいと思う。

胡桃は古くから染料として用いられていて、『正倉院文書』にも「胡桃紙」という記録がみえる。たしかにその色は、丁子で染めた色とよく似ているが、香りはそれほどではなく、香色と表現するのはふさわしくないと思われる。

「浅からずしめたる紫の紙」は、紫草の根（紫根）で気品ある紫色の紙に染めた。

澪標

澪　標

みおつくし

この帖では、源氏が須磨・明石の流浪の生活から都へもどり、中央政権への復帰をはたしていくさまが描かれている。

三月になって、明石の君が女姫を出産したとの知らせがくる。源氏は乳母を送ってさまざまに面倒をみるのだが、いっぽう、紫の上にも女姫が生まれたことを打ち明ける。

朝廷においては、源氏と藤壺宮との間に生まれた東宮が元服したのち、兄朱雀帝《すざくてい》が譲位することを決意し、冷《れい》泉帝《ぜいてい》が即位するという、まさしく源氏をとりまく人びとにとって理想的といえる情況となっていく。

光源氏の住吉詣

源氏は須磨で暴風雨のさい住吉の神に願をたてて助けられたことがあり、帰京した秋に住吉詣をして「願《がん》果《はた》し」、つまりお礼参りをすることになった。

この帖の白眉はなんといっても住吉神社に詣でる源氏一行の華やかさである。

一位の色

深紫（紫根）

二位の色

浅紫（紫根）

「松原の深緑《ふかみどり》なるに、花紅葉《もみぢ》をこき散らしたると見ゆるうへのきぬの濃き薄き、数知らず」

　住吉の海岸の松原に、おつきの人びとの袍《ほう》（上衣《うえのきぬ》）が花や紅葉を散らしたかのように数えきれないほどみえる。

「六位のなかにも蔵人《くらうど》は青色しるく見えて、かの賀茂の瑞籬《みづがき》恨みし右近《うこん》の尉《じよう》も靫負《ゆげひ》になりて、ことことしげなる随身《ずいじん》具したる蔵人なり。良清《よしきよ》も同じ佐《すけ》にて、人よりことにもの思ひなきけしきにて、おどろおどろしき赤衣姿《あかぎぬすがた》（五位のこと）、いときよげなり」

　ちょうどこのとき、明石からも明石の君とその母たちが住吉詣に来ていたが、源氏の華やかな一行に気後れして参拝をみあわせて、いったん難波の浦に引き返してしまった。源氏は海辺に出て、かつての日々を思い返していたが、随身《ずいじん》より明石の君たちが近くまで来ていることを聞いて、文《ふみ》を遣わす。

六条御息所の死

　その後、源氏が明石の君とその姫君を上京させる意向をしめすことになる。さらに、伊勢神宮の斎宮とな

三位の色

浅紫（紫根）

四位の色

深緋（茜）

っていた娘とともに六条御息所《ろくじょうのみやすどころ》も帰京するのである。

六条御息所は病がちとなり出家を決意する。見舞った源氏には、娘を後見してくれるように願いを託して亡くなってしまう。

源氏は斎宮を養女とし、冷泉帝に入内させて自らの地位をより強固なものとしようとする。兄朱雀院は斎宮に求婚したいと伝えるが、源氏は藤壺宮の協力もえて、朱雀院の希望をしりぞけ、思惑どおり入内をはたすことになる。

五位の色　浅緋（茜）

六位の色　深緑（紫根×刈安）

七位の色　浅緑（蓼藍×刈安）

【官位の色の再現】

官位によって、衣服の色彩が決められたのは、飛鳥時代、聖徳太子が定めた「冠位十二階」（六〇三年）がはじまりである。奈良時代にいたるまで七度ほど改正がおこなわれている。

ここでは源氏の一行に、さまざまな官位の人たちが随行したと想定して、一位深紫《こきむらさき》（紫根）、二位浅紫《あさむらさき》（紫根）、三位浅紫（紫根）、四位深緋《こきあけ》（茜）、五位浅緋《あさあけ》（茜）、六位深緑《こきみどり》（紫根×刈安）、七位浅緑《あさみどり》（蓼藍と刈安）、八位深縹《こきはなだ》（蓼藍）までの八色を巻頭にかかげた。なお初官となる九位は、下記のように浅縹《あさはなだ》（蓼藍生葉）となる。

このなかで「六位のなかにも蔵人《くらうど》は青色しるく見えて」とある六位の深緑（当時は青色と表現していた）は、天皇の日常着である麹塵《きくじん》色の袍が臣下に下賜されるようであるので、ここにはとくに紫根と刈安で染めてコウジカビの色のような麹塵色をあらわした。

私見ではあるが、紫根と刈安をかけあわせて緑系の色にするのは極めて困難な技法なので、そんなに多く衣裳に下賜されることはできなかったであろうと考えているが、「新潮日本古典集成」で「澪標」の頭注には、「六位の蔵人の第一席の者は、天皇から麹塵の御袍（天皇の日常服、青みがかった黄色）を賜って着用する」とあり、また「行幸《みゆき》」の頭注にある、「麹塵（淡黄に青味を帯びた色）の袍。天皇の日常着であるが、晴の儀式には諸臣が着用し、主上は赤色を召す」にしたがった。

八位の色

深縹（蓼藍）

九位の色

浅縹（蓼藍生葉）

蓬生

蓬生

よもぎう

この帖では末摘花《すえつむはな》のその後が描かれている。源氏が都を離れてから、末摘花の暮らしは、いっそう貧窮をきわめていた。

屋敷の荒廃はいうまでもない。狐の住処《すみか》となり、梟《ふくろう》の声を朝な夕なに聞くというありさまである。この「蓬生」という名は、まさに蓬の生い茂る荒れ果てたさまにちなんでいる。

そんななか、末摘花は調度品を売るようなこともせず、また太宰府に下る叔母から一緒に行くことをすすめられても断って、ひたすら源氏の訪れを待っている。

末摘花との再会

四月になって、源氏が久しぶりに花散里《はなちるさと》を訪ねようとするその途中、

「形《かた》もなく荒れたる家の、木立《こだち》しげく森のやうなるを過ぎたまふ」

木が茂り荒れたたたずまいの屋敷にさしかかる。この荒れ果てた邸が常陸宮《ひたちのみや》の屋敷と気づき　供の惟光《これみつ》が蓬の露を払いながら源氏を屋敷へ導いて、ようやく末摘花と再会をはたす。

【蓬の襲】 蓬の葉（蓼藍×刈安）・蓬の裏葉（生絹）

「蓬生」の襲の色を着用している常陸宮の姫君の描写はないが、『栄華物語』には「蓬の襲」が記されている。

私は、その草の生命力を映して、蓼藍の青の上に、刈安の深い黄色をかけあわせて、濃い緑にして、これに白い生絹《すずし》をかけて蓬の裏葉をあらわして蓬の襲とした。

キク科の蓬は世界に広く分布しているようで、古くから薬草として使われてきた。

旧暦五月五日の節句、いまの暦なら六月に入ってから若草がよく茂って美しいころに刈りとって門にかけたり、菖蒲《しょうぶ》とともに屋根の上において邪気を祓《はら》うような習わしが中国やわが国でおこなわれてきた。これからの、湿り気の多い梅雨の季節や、暑い夏の季節をのりきるために、この節句を薬狩《くすりがり》の日に決めて、薬草を摘んで供えてきたのである。

ここでは、蓬の美しさや薬効などよりも、さびれた邸に茂るさまが、よりわびしさを醸し出しているように描かれている。

関屋

さとはづれ出でたる旅姿どもの、色々の襖《あを》のつきづきしき縫物《ぬひもの》、括《くく》り染めのさまも、さるかたにをかしう見ゆ。

関屋

せきや

ここでは、空蝉《うつせみ》のその後が語られる。

空蝉は、遠く関東の常陸《ひたち》の国へ赴任する夫に従って、長く都を離れていたが、源氏が帰京を果たした翌年の秋、夫とともに都へもどることになった。

源氏は、当時観音信仰でよく知られた石山寺へお礼参りに詣でることになった。滋賀県大津市の石山寺は、琵琶湖の南端、湖の水が瀬田《せた》川へと注ぐすぐそばにある。紫式部がこの寺に逗留して『源氏物語』の構想を練ったとして知られている。

源氏の一行は、いまの東海道にしたがって行く。三条通から東山三十六峰のひとつ粟田《あわた》山を越え山科《やましな》の里をすぎると、逢坂《おうさか》の関である。空蝉の一行は、その逢坂の関で源氏と遭遇する。

「九月晦日《つごもり》なれば、紅葉《もみぢ》の色々こきまぜ、霜枯れの草、むらむらをかしう見えわたる

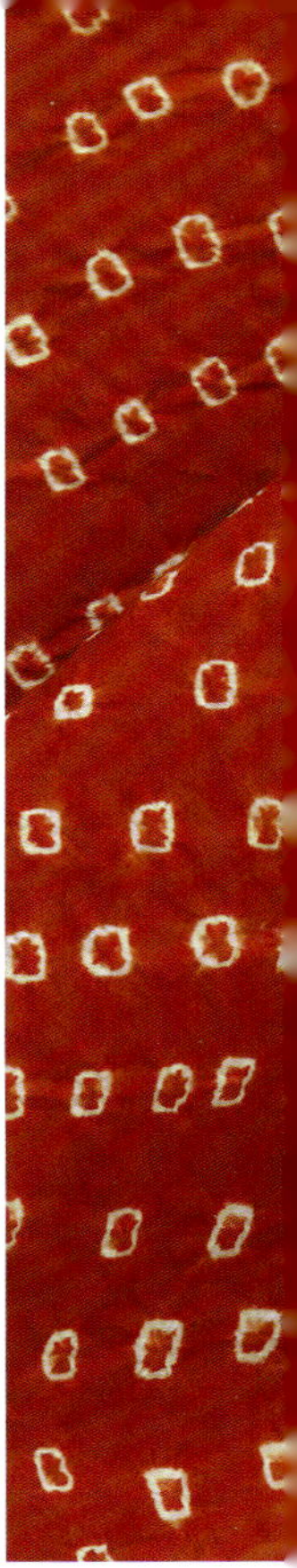

に、関屋《せきや》より、さとはづれ出でたる旅姿どもの、色々の襖《あを》のつきづきしき縫物《ぬひもの》、括《くく》り染めのさまも、さるかたにをかしう見ゆ」

源氏の一行の「つきづきしき縫物」というのは、多彩な糸を用いた刺繍《ししゅう》の意である。「括り染め」とあるのは、絞染《しぼりぞめ》のことで、これは旅行着としてふさわしいとされている。

植物染の刺繍糸

再会をはたした源氏と空蝉だが、やがて空蝉の夫は老齢のため世を去る。夫の死後、空蝉は尼となるが、源氏は長く面倒をみることが綴られている。

【括り染】

ここでは「つきづきしき縫物」、すなわち刺繍の文様があらわされた狩衣《かりぎぬ》や、おそらくその下に重ねたのであろう「括《くく》り染め」、つまり絞染《しぼりぞめ》に注目した。というのは、『源氏物語』が描いた王朝文化華やかしきころは、どちらかというと有《ゆう》職《そく》文様が織りこまれた衣裳を重ねることに主流がおかれていたようで、縫物あるいは絞染などのことはこの「関屋」の帖以外には出てこない。

平安時代の終わりに都の貴族たちによって、大阪四天王寺に奉納された国宝「扇面古写経《せんめんこしゃきょう》」のなかに、絞染を下に着用して、直衣か狩衣という軽装の姿をみることができるので、そうした括り染の復元を掲げた。多彩な色の糸は、同じく植物染で染めた刺繍糸である。

なお、左の「扇面古写経」は小寺礼三画伯の模写による。

絵合

絵合

えあわせ

源氏と藤壺宮との間に生まれた皇子は、朱雀帝《すざくてい》のあとをうけて冷泉帝《れいぜいてい》として即位した。

その後宮には権中納言《ごんちゅうなごん》（かつての頭の中将）の娘の弘《こ》徽殿女御《きでんのにょうご》があがっている。冷泉帝と歳も近く仲良かったが、そこへ、六条御息所の娘が、藤壺宮の支持をえて入内する。

彼女には絵心があり、同じように絵が好きな冷泉帝の心は、この斎宮女御《さいぐうのにょうご》へと次第に傾いていく。

こうした様子を察した権中納言は、弘徽殿女御の立場を案じて、優れた絵師を抱えて物語絵を描かせ、帝の心をつなごうとするのであった。

そこで、源氏は、帝の御前で勝敗を定めようと、内《だい》裏《り》での絵合を企画したのである。

絵合の日、その模様は、

「女房の侍《さぶらひ》（女房の詰め所）に御座《おまし》よそはせて、（玉座の）北南《きたみなみ》かたがた別れてさぶらふ。殿上人《てんじやうびと》は、後涼殿《こうらうでん》の簀子《すのこ》に、おのおの心寄せつつさぶらふ。左（玉座の南）は、紫檀《したん》の箱に蘇芳《すはう》の花足《けそく》、敷物には紫地の唐《から》の錦《にしき》、打敷《うちしき》は葡萄染《えびぞめ》の唐《から》の綺《き》なり。童《わらは》六人、赤色に桜襲《さくらがさね》の汗衫《かざみ》、衵《あこめ》は紅《くれなゐ》に藤襲《ふぢがさね》の織物なり。姿、用意など、なべてならず見ゆ。右（玉座の北）は、沈《ぢん》の箱に浅香《せんかう》の下机《したづくゑ》、打敷は青地の高麗《こま》の錦、あしゆひの組《くみ》、花足《けそく》の心ばへなど、今めかし。童《わらは》、青色《あをいろ》に柳《やなぎ》の汗衫《かざみ》、山吹襲《やまぶきがさね》の衵《あこめ》着たり。皆、御前《おまへ》に舁《か》き立つ。上《うへ》の女房（帝づきの女房）、前後《まへしりへ》と装束《さうぞ》き分けたり」

中央には冷泉帝が禁色である麹塵《きくじん》色の袍《ほう》（上着）を着て絵合をご覧になっておられるとの設定である。

左方（源氏方）は、紫檀の箱を蘇芳で染めた木でつくられた台（花足）に載せている。この「蘇芳の花足」は、多くの『源氏物語』の注釈書には、蘇芳の木でつくった花足となっている。しかし、蘇芳の木材は木工品には不向きで、したがって、ここは、正倉院宝物にもあるように、蘇芳で染めた木を用いていると解すべきだろう。

台の下に敷かれた紫地の敷物は唐製の錦で、台の上には葡萄色、すなわち赤紫色の唐織物（打敷）が敷かれている。

それらを用意している童たちの装いは、桜の襲や藤の襲を着用していて、弥生の二十日、現在の四月下旬のころにふさわしい、季《とき》にあった色合いである。

いっぽう、右方（頭の中将方）は、沈の箱と浅香の台（いずれも香木）、打敷は青色の高麗の錦と豪華に飾り立てられている。童たちは柳の襲、山吹の襲と、こちらも季節にふさわしい装いである。

さらに、近くに仕える女房たちは、それぞれ応援する方の色の衣裳にあわせて、おそらく左方であれば紫と赤、右方は青緑から苗色を着用してひかえている。

勝負がつかないまま夜になったが、最後に須磨で源氏が描いた絵が出された。

「所のさま（その地の風景を）、おぼつかなき浦々、磯《いそ》の隠れなく（くまなく）描《か》きあらはしたまへり。草《さう》の手に仮名の所所に書きまぜて、まほのくはしき日記にはあらず、あはれなる歌などもまじれる、たぐひゆかし。誰も異事《ことごと》思ほさず、さまざまの御絵の興《きよう》、これに皆移り果てて、あはれにおもしろし。よろづ皆おしゆづりて、左勝つになりぬ」

源氏の描いた絵のすばらしさは、それまでのどの絵も忘れさせるほどで、人びとに深い感動をあたえた。

【左方・源氏方の色】（天皇からみて左方）

「**蘇芳の花足**」奈良時代の正倉院宝物のなかに黒柿蘇芳染《くろがきすおうぞめ》と記された木工品が数多くのこされている。これは、墨流しのような年輪が入った黒柿の木を蘇芳で染めて、明礬《みょうばん》で発色した。

「**紫地の唐の錦**」蘇芳の花足と同様、正倉院の時代に使われていたもののように唐風（中国風）の様式がのこっていると、私は考えている。それゆえ唐風な錦が珍重されていたと考え、正倉院に伝わる紫地鳳凰唐草文錦を復元した。

「**桜襲の汗衫**」蘇芳の赤に紋紗を重ね透過させて桜色とした。

「**紅に藤襲の衵**」紅は文字どおり紅花で染めあげた。

藤の襲は、「新潮日本古典集成」の注釈には経緯《たてよこ》の糸に薄紫と青を用いた織物とある。私は経糸には藤の葉をあらわすために少し緑系であったほうがふさわしいと考えて、経糸を蓼藍の生葉染に少し刈安の黄をかけた。緯糸には、藤の花の紫を紫根で染め、経糸に打ちこんだ。

【右方・頭の中将方の色】（天皇からみて右方）

「**青地の高麗の錦の打敷**」下机の下に敷いた打敷も左方の紫地の唐の錦と同じく、唐、高麗風のものと考え、正倉院宝物風を範とした緑地霰《あられ》紋錦をおいた。

「**青色の柳の汗衫**」　表を柳の裏葉色である白（平絹）、裏を蓼藍に刈安をかけあわせて柳の葉色の襲とした。

「**山吹襲の衵**」山吹の花の鮮やかな黄色の襲である。支子《くちなし》で表を濃く、裏を薄く染めた。

紅に藤襲の袙＝藤の織物（経糸　蓼藍生葉×刈安　緯糸　紫根）・白平絹・紅（紅花）

青色の柳の汗衫（蓼藍×刈安・白平絹）・山吹襲（支子）

【天皇の麹塵の袍と下襲】 袍（紫根×刈安）・下襲（紫根×茜）

麹塵とはコウジカビの色、あるいは青白橡《あおしろつるばみ》、すなわち団栗の実が早秋に少し色づく色、または山鳩の首まわりの不思議な緑色と解されてきた。紫根で青味の紫を染め、刈安の黄色をかけて緑系の色にしていく。文様は天子の文様である桐竹鳳凰文である。

下襲《したがさね》は、もっとも高貴な人にふさわしく、赤味がかった紫で葡萄《えび》色（山葡萄の色）にして、わずかに茜をかけている。

松風

まつかぜ

源氏の娘を生んだ明石の君が上京することになり、父入道が命じて修理させた大井川《おおいがわ》（大堰川）のほとりにあった母尼君の祖父の別荘に住む。今日でいうと、嵐山《あらしやま》の山裾を流れる大堰川にかかる渡月橋《とげつきょう》の東岸を少し川上にのぼり右手の小高い丘のほうへと行ったところ、亀山公園あたりと考えてよいだろう。

嵯峨《さが》嵐山の地は現在でも、とりわけ千代《ちよ》の古道《ふるみち》から広沢池《ひろさわのいけ》をすぎるところまでくると、愛宕山《あたごさん》を背景に幾重にもなだらかな山の連なりがみえて魅了される。なかでも嵐山の稜線に突き出たような松の姿が夕陽に照らされて陰影をつくる風景は格別である。

上京した明石の君との再会

そのとき源氏は、紫の上に明石の君の上京を打ち明けてはいなかったが、嵯峨の大覚寺《だいかくじ》の近くに御堂を建設しており、それにかこつけて、嵯峨へ通おうとしていた。しかし、なかなか訪ねることができず、明石の君は寂寥を慰めるように源氏が都へもどるときに形見としておいていった琴をとりだしてつまびく。その琴の音にあわせるかのごとく「松風はしたなく響きあひたり」、松を通る風が無遠慮に響きあっている。

ようやく訪れた源氏は三年ぶりに明石の君と再会し、はじめて娘である姫君に対面、たがいに感無量である。

二日を明石の君の邸ですごし、その翌日は源氏の別業、桂殿（のちの桂離宮のモデルとなったという）で遊宴ののち都へもどる。

しかし二条院に帰ると、紫の上のご機嫌はよろしくない。そこでほんとうのところを打ち明け、姫君を自邸二条院に引き取って、二人で育てようと提案するのであった。

【松の葉の襲】 蓼藍×刈安

この帖では格別に衣裳や佇まいにおいて色彩を記しているところは見受けられないが、帖の名にふさわしく、松の常盤《ときわ》色を再現してみた。

いずれも下地に刈安の黄色をかけて、それもわずかに濃淡を変えた。これに蓼藍を甕《かめ》に建てて染め、濃い黄色のほうには長い時間藍をかけて濃い緑色に、淡い黄色には、それよりも短い時間で染色し、松の葉の襲をあらわした。

松風

薄雲

うすぐも

冬が近づいてきて、源氏は明石の君に二条院に移ることをすすめるが、そこに行けば、源氏の日常に接してより辛い思いをするのではと、明石の君は思い悩んでいた。

源氏は、姫君を入内させ、やがて立后もと考えていたので、姫君だけでも引き取って、紫の上に育ててもらうのがよいことだという。明石の君は母尼君とも相談して、ついに姫君を手放すことを決める。

雪の朝の明石の君の襲

姫君との別れの悲しみに沈む明石の君は、「雪かきくらし降りつもる朝《あした》」、空を暗くして、雪がしんしんと降って庭の池には氷が張っている朝、その風景をみながら泣きつづけていた。

「白き衣《きぬ》どものなよよかなるあまた着て、ながめゐたる様体《やうだい》、頭《かしら》つき、うしろでなど、限りなき人と聞こゆとも、かうこそはおはすらめと人々も見る」

純白のやわらかい絹を何枚も重ね着して、物思いに沈んでいる明石の君の姿は、髪の様子もうしろ姿も気品があって、高貴な人にもまさるとも劣らないと女房たちはみていたとある。

明石の君がまとっていた「白き衣」とは、「氷の襲」とか「雪の襲」とよばれるものであろう。白い絹のなかには砧《きぬた》（「夕顔」36ページ参照）で打って艶《つや》をだした布や、貝などで磨きをかけてより光沢を増したものも着ていたのだろう。ひとくちに白といっても、さまざまな工夫が加えられているものと考えられる。

今日であれば、冬に白を着るというのはなにか寒々しく感じられるが、往時はこのような衣裳があった。さすがに源氏が愛した女性である。哀しい母娘の別れの場面であるが、明石の君の感性がしのばれる描写と

【氷の襲】 練絹（紋綸子《もんりんず》と平絹）・生絹（平絹）二枚・羽二重・綾地

明石の君が白い絹を何枚もまとっていた「氷の襲」をあらわしてみた。練ってやわらかくした「練絹《ねりぎぬ》」二種、反対に生糸を練らない張りのある「生絹《すずし》」二枚、経《たて》糸に生糸、緯《よこ》糸にぬらした生糸を織りこんだ肌触りがよく光沢のある「羽二重《はぶたえ》」（練絹）、それに経糸に緯糸を斜めにかけて文様を織りだした練絹の「綾地《あやじ》」の六段の白を重ねた。

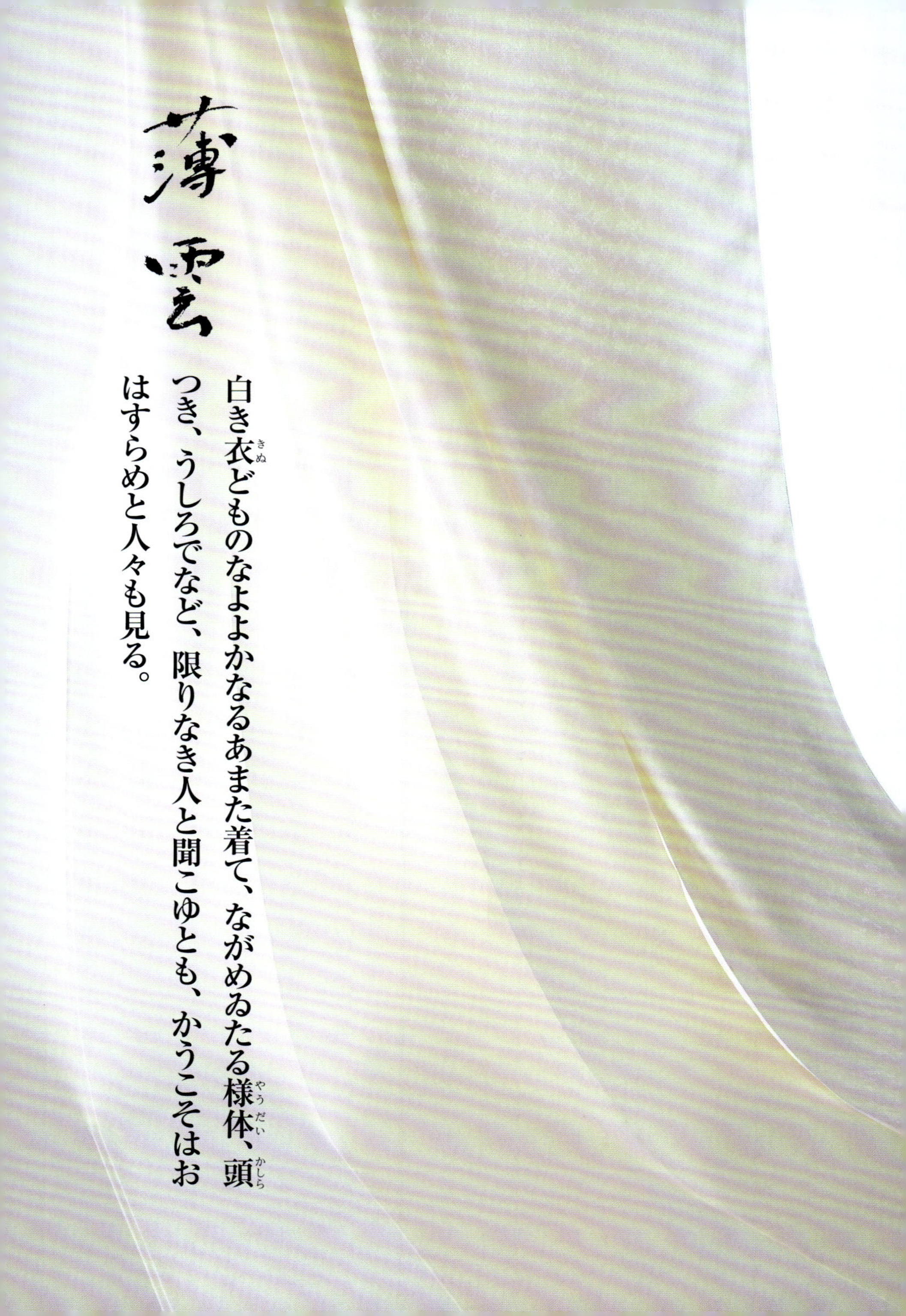

薄雲

白き衣《きぬ》どものなよよかなるあまた着て、ながめゐたる様体《やうだい》、頭《かしら》つき、うしろでなど、限りなき人と聞こゆとも、かうこそはおはすらめと人々も見る。

朝靄のかかる渡月橋（岡田克敏）

いえよう。

やがて姫君は二条院に移り、紫の上に育てられて、袴着《はかまぎ》という三歳になって子どもがはじめて袴を着ける儀式をすませるのであった。

藤壺宮の死と源氏の嘆き

年が明けて、源氏は三十二歳となった。藤壺宮は病気がちとなり、三月にはかなり重くなり、冷泉帝《れいぜいてい》の行幸を仰ぐまでとなった。そしてついに源氏に看取られて亡くなってしまう。

藤壺宮の死を悼んで、殿上人は「なべてひとつ色に黒みわたりて」、みな鈍色《にびいろ》の衣裳を身につけて喪に服したとある。

「御念誦《ねんず》堂に籠《こも》りゐたまひて、日一日《ひひとひ》泣き暮らしたまふ。夕日はなやかにさして、山際《やまぎは》の梢《こずゑ》あらはなるに、雲の薄くわたれるが、鈍色《にびいろ》なるを、何ごとも御目とまらぬころなれど、いとものあはれにおぼさる」

源氏は邸内のお堂に籠もって一日を暮らしている。夕暮れになって西の空に日が沈むころ、峰にたなびく薄雲が鈍色になるのをみて、自分の着物の色に似せて雲までが悲しんでいるのだろうかと、また涙するのである。

『物語』はその後、冷泉帝が出生の秘密を知り、激しく動揺することを記す。

【薄雲の色】 薄白絹（生絹）・淡鈍（檳榔樹）・濃鈍（矢車）

鈍色はこれまでに何度も登場しているが、喪に服すときや出家した人がまとう色である。

ここでは、源氏がみた鈍色の薄雲を、薄い生絹と淡い鈍色は檳榔樹《びんろうじゅ》で、濃い鈍色は矢車《やしゃ》で染めて二重織にして雲の質感をあらわしてみた。

朝顔

あさがお

源氏は若いころから、父桐壺帝の弟式部卿宮《しきぶきょうのみや》の姫君で斎院《さいいん》に出仕した朝顔姫君にあこがれを抱いていた。

この朝顔斎院は父式部卿宮が亡くなったため退下して父宮の旧邸桃園の宮に移られた。

その邸宅には父宮の妹君である老齢の五の宮も住んでおられたので、源氏はそのお見舞いにかこつけて、朝顔姫君へ長いあいだの想いを告げるために出かけたのであった。

おそい秋の夕暮れで、前栽《せんざい》の草木は枯れているけれども、さすがに風情がある邸であった。

「暗うなりたるほどなれど、鈍色《にびいろ》の御簾《みす》に、黒き御几《みき》帳《ちやう》の透影《すきかげ》あはれに、追風《おひかぜ》なまめかしく吹きとほし、けはひあらまほし」

喪に服しているおり、衣裳だけではなく、御簾や几帳の縁も鈍色（灰色や墨色）の黒い色でしつらえて、そうした雰囲気をかもしだしている様子が、右の文章からもうかがえて興味深い。

しかし朝顔姫君は源氏の求愛をやんわりと拒むのであった。

この帖の後半、月明かりに照らされた雪が美しい夜、源氏は、朝顔姫君の処遇を心配している紫の上に、藤壺宮の思い出や、これまでかかわってきた女人たちのことを語りかけるのであった。

この朝顔姫君と六条御息所《ろくじょうのみやすどころ》の娘（斎宮女御《さいぐうのにょうご》）、そして、のちの玉鬘《たまかずら》は源氏が男としての想いをとげられなかった女君たちである。

【鈍色の御簾と黒き御几帳】

矢車《やしゃ》、団栗《どんぐり》の実を煎じて鉄分で発色させた鈍色を御簾と几帳に仕立ててみた。

鈍色の発色には、鉄分を含んだ金気水が不可欠である。この金気水をつくるには、粥と米酢、あるいは炭焼きのときに出る木酢を入れた液に錆びた鉄屑を入れる。二、三週間すると鉄分が溶解して赤茶けた液になる（鉄漿《かね》という）。これを発色剤とすると、矢車や団栗の実のタンニン酸と鉄分が結合して黒く染まるのである。

この当時、成人した貴族の女性は歯を黒く染める「お歯黒《はぐろ》」を施していた。五倍子《ごばいし》というヌルデの木できる虫の塊（瘤《こぶ》）を粉にして、右の鉄漿で塗るのである。そのため鉄漿のことを「お歯黒鉄」ともよぶ。

朝顔

暗うなりたるほどなれど、鈍色《にびいろ》の御簾《みす》に、黒き御几帳《みきちやう》の透影《すきかげ》あはれに、追風《おひかぜ》なまめかしく吹きとほし、けはひあらまほし。

少女

大きやかなる童女《わらは》の、濃き袙《あこめ》、紫苑《しをん》の織物かさねて、赤朽葉《あかくちば》の羅《うすもの》の汗衫《かざみ》、いといたうなれて、廊、渡殿《わたどの》の反橋《そりはし》を渡りて参る。

少女

おとめ

藤壺宮の一周忌がすぎた四月（旧暦）、更衣《ころもがえ》がおこなわれ、春のはなやかな気配がただようころ、朝顔姫君のもとに源氏から文《ふみ》が届けられる。

「かけきやは川瀬《かはせ》の波もたちかへり
　君がみそぎの藤のやつれを」

思いもかけずあなたが斎院を辞されて、除服《じょふく》（喪服から通常の衣裳にあらためること）の禊《みそぎ》をなさろうとは――その文は、季節にふさわしい、藤の花をあらわす紫の紙で包んで立文《たてぶみ》にして、さらに藤の生花もつけてあった。

朝顔姫君からお返しの文には、

「藤衣《ふぢごろも》着しは昨日と思ふまに
　今日はみそぎの瀬にかはる世を」

父の喪に服したのが昨日のようですのに、もう除服とは月日の移り変わりをはかなく思います、と詠んでいる。

紫の立文

【童女の衣裳】 濃き袙（紫根）・紫苑の織物（経糸　蘇芳×緯糸　蓼藍）・赤朽葉の汗衫（茜×支子）

秋の庭を映したかのような襲の衣裳である。「濃き」は濃い紫のこと。これは紗織の生地を紫根で染色した。

「紫苑の織物」は、「新潮日本古典集成」の注釈によれば経糸《たて》が蘇芳、緯糸《よこ》が青の織物とあるので、蘇芳と蓼藍でそれぞれ染めた糸をかけて織りあげた。

「赤朽葉」とは、まさしく紅葉のもっとも美しいものと考えて、茜にわずかに支子《くちなし》の黄色を足して、燃えるような紅葉の彩りとし、七宝花紋に織りあげた。

【紫の立文】

藤壺宮の喪が明けるころは、藤の花が咲こうかという季節であった。源氏の文は手紙の包み紙を紫根で紫に染めて縦に包んだ立文で、さらに藤の花が添えるという念を入れたものであった。

「藤衣着し」とあるのは、父君が亡くなって一年間喪服を着けていたことをあらわしている。

こうして喪が明けた朝顔姫君に、源氏との結婚をまわりの人も勧めるようになるのだが、朝顔姫君はやはり取りあおうとしない。

それと時を同じくして、源氏の息子夕霧《ゆうぎり》が元服する。源氏はあえて六位の低い地位において、まず学問に専念させることにする。

夕霧は、かつての頭の中将、現在は内大臣の娘の雲《くも》居雁《いのかり》と幼なじみである。ところが、内大臣は二人の恋仲を認めようとはしない。

理想の邸「六条院」の完成

この帖の終わりに、源氏が理想的な館とした六条院が完成する。

この豪邸は大きく四季の町に分けられ、東南は春の庭がめぐらされ、紫の上と源氏が暮らす。南西の秋の庭は、いまは冷泉帝《れいぜいてい》の中宮になっている六条御息所《ろくじょうのみやすどころ》の娘、秋好中宮《あきこのむ》（源氏の養女）が、北東は花散里《はなちるさと》の住まいで夏の趣、そして西北の冬の景色の館には、近々明石の君が嵯峨《さが》から移る予定になっている。

藤蔓《ふじつる》の皮を剥いで細く割き、糸にして織りあげた「藤衣」。庶民の日常着に使われたが、貴族も近親者の喪に服すときに藤布を着用するならわしが古くはあった

旧暦の九月になり、六条院に里帰りした中宮から紫の上へ愛らしい童女のお使いがたつ。

「大きやかなる童女《わらは》の、濃き衵《あこめ》、紫苑《しをん》の織物かさねて、赤朽葉《あかくちば》の羅《うすもの》の汗衫《かざみ》、いといたうなれて、廊、渡殿《わたどの》の反《そり》橋《はし》を渡りて参る」

紫の上への贈り物を持参する童女も「濃き」とあるように濃い紫の衵に紫苑や赤朽葉など、秋の花樹をあらわした美しい襲の衣裳をまとっていたと描かれている。

紫苑の織物（経糸　蘇芳×緯糸　蓼藍）

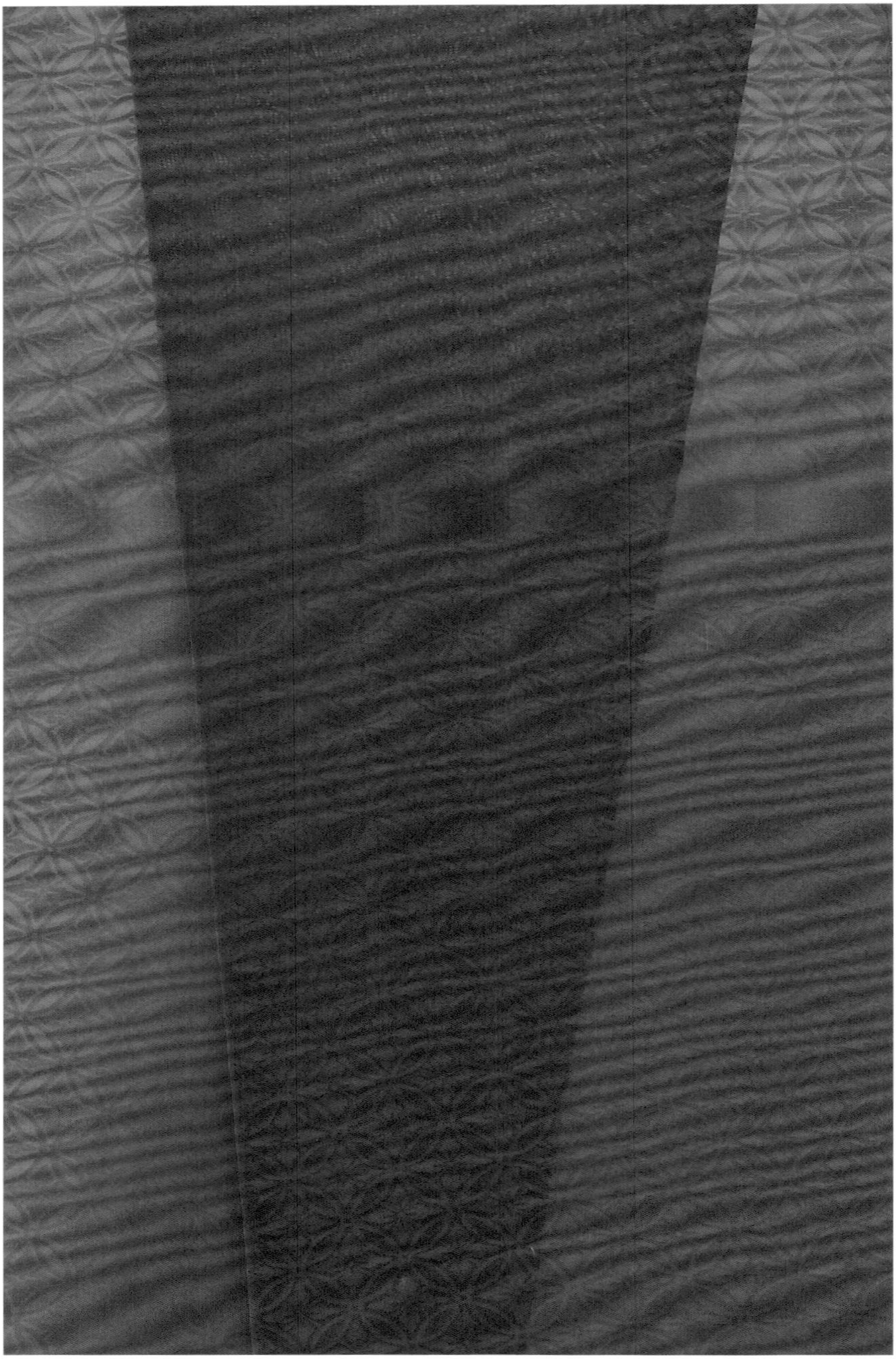

赤朽葉（茜×支子）

濃き紫（紫根）

玉鬘

紅梅《こうばい》のいと紋浮《もんう》きたる葡萄染《えびぞめ》の御小袿《こうちき》、今様色《いまやういろ》のいとすぐれたるとは、かの御料《れう》、桜の細長《ほそなが》に、つややかなる掻練《かいねり》取り添へては、姫君の御料なり。

梅の折枝《をりえだ》、蝶《てふ》、鳥《とり》、飛びちがひ、唐《から》めいたる白き小袿《こうちき》に、濃《こ》きがつややかなる重《かさ》ねて、明石の御方に、

空蟬《うつせみ》の尼君に、青鈍《あをにび》の織物、いと心ばせあるを見つけたまうて、御料《れう》にある梔子《くちなし》の御衣《ぞ》、聴《ゆる》し色なる添へたまひて、

玉　鬘

たまかずら

源氏が若いころに死に別れた夕顔《ゆうがお》は、頭の中将（この帖では内大臣）の通い人で、二人の間には一人の女の子がいた。この娘は、乳母のもとで育てられて、筑紫《つくし》で美しく成長し、二十歳近くになっていた。しかし田舎者の豪族たちが強引に求婚してくるため、乳母は娘を京へ連れ帰ることにする。

しかし、京には知り合いもなく、先の不安はつのり、まずは神仏のご加護を願うべく石清水八幡宮《いわしみずはちまんぐう》に祈る。

そして奈良初瀬《はつせ》の長谷寺の観音詣のおりに、かつて夕顔に仕えて、夕顔の死後源氏の邸宅に引き取られた右近《うこん》と偶然に劇的な再会を果たすのである。

右近から知らせを聞いた源氏は、その遺児を自分の娘として六条院に引き取り、花散里《はなちるさと》に養育を託し、夏の御殿の西の対《たい》に住まわせる。この劇的な対面により、源氏のまわりに新しく美しい花が咲くことになる。

「衣配り」の華やかさ

このように物語が大きく動くなかで、色彩に関しては、帖の終わり近くに「衣配《きぬくば》り」とよばれる場面があって注目される。

源氏のような位の高い男性は、「御しつらひのこと」つまり今日の歳暮のように、新年を迎える調度や女君たちの晴れ着を配るという習わしがあった。

源氏がそれぞれの女君に用意した衣裳は、つぎのようなものであった。

「紅梅《こうばい》のいと紋《もん》浮きたる葡萄染《えびぞめ》の御小袿《こうちき》、今様色《いまやういろ》のいとすぐれたる」は紫の上へ。

「桜の細長《ほそなが》に、つややかなる掻練《かいねり》取り添へて」は、明石の姫君へ。

「浅縹《あさはなだ》の海賦《かいふ》の織物《おりもの》、織《お》りざまなまめきたれど、にほひやかならぬに、いと濃き掻練具《かりねりぐ》して」は夏の御方（花

【紫の上の衣裳】葡萄色の小袿（紫根）・今様色（紅花）

葡萄染《えびぞめ》とは、山葡萄《やまぶどう》の実が熟した色をさす。紫草の根をたっぷりと使った高貴で高位な色あいで、紅梅紋を織りあげてある。今様色《いまよう》は流行色のことで、平安期における今様色は、紅花でくり返し染めた輝くような赤色。やはり紫の上は源氏の最愛の女性であるから、もっとも高価で気品高いものを贈っている。

散里）に。

「曇りなく赤きに、山吹の花の細長」は、西の対《たい》に住む玉鬘に。

末摘花《すゑつむはな》には「柳の織物の、よしある唐草《からくさ》を乱れ織れるも、いとなまめきたれば、人知れずほほゑまれたまふ」といったものを。

「梅の折枝《をりえだ》、蝶《てふ》、鳥《とり》、飛びちがひ、唐《から》めいたる白き小《こ》袿《うちき》に、濃《こ》きがつややかなる重《かさ》ねて」は明石の上に。

空蟬《うつせみ》の尼君には、「青鈍《あをにび》の織物、いと心ばせあるを見つけたまうて、御料《れう》にある梔子《くちなし》の御衣《ぞ》、聴《ゆる》し色なる添へたまひて」といった具合である。

長谷寺本堂の懸造《かけづくり》の「大殿堂」（紫紅社）

空蟬は出家しているので、喪に服しているような色相である。
女君たちには、皆が同じ日、つまり元旦に着るようにという手紙も添えられていた。

【明石の上の衣裳】 白き小袿（紋綸子）・濃き（紫根）　左ページ

王朝文化の華やかな文様は、「本願寺本三十六人家集」（西本願寺蔵）にみられる。そこにあらわされた鳥、紅葉、折枝などの小さな花紋を白い紋綸子《もんりんず》（練絹）に織りあげた。「濃き」は、紫の濃い色で艶やかなものを重ねて贈ったのだろう。

【明石姫君の衣裳】 桜の細長（生絹・蘇芳）・掻練（紅花）　118ページ

表には蚕が糸を吐いたままの、練りをしないで織った生絹《すずし》の透明な白を亀甲丸紋に織り、裏には蘇芳《すおう》か濃い紅花をつけて桜襲に仕立てている。生絹は透明感があり、その下に蘇芳か紅花で染められた強烈な赤を着ると、あたかも桜の花の淡い紅色にみえる。掻練《かいねり》とは、生糸《きいと》の膠《にかわ》質を藁灰《わらはい》の灰汁《あく》のなかで繰って落としたやわらかい絹のことだが、襲の色目にもあり、やや淡い紅色をさす。紅花で明るく染めた。

【空蟬の衣裳】 青鈍（蓼藍×檳榔樹）・梔子（支子×茜）・聴し色（紅花）　119ページ

青鈍とは、鈍色をかける前にあらかじめ藍で染め、その下色を感じさせる色。支子（梔子）色の袿《うちき》も萱草《かんぞう》色に近い色と考えた。『延喜式』の支子色は支子の実で染めたあとに、さらに茜を染めるとある、支子の実の熟した黄赤であるような染色になっている。聴《ゆる》し色とは、一疋《ぴき》（二反）の布を染めるのにわずか一斤《きん》（約六百グラム）だけの紅花を使った一斤染《いっこんぞめ》のような淡い紅のこと。

白き小袿・濃き（紫根）

桜の細長（生絹・蘇芳）・掻練（紅花）

青鈍（蓼藍×檳榔樹）・
聴し色（紅花）・梔子（支子×茜）

初音

曇りなく赤きに、山吹の花の細長は、かの西の対にたてまつれたまふ。かの末摘花《すゑつむはな》の御料に、柳の織物の、よしある唐草《からくさ》を乱れ織れるも、浅縹《あさはなだ》の海賦《かいふ》の織物《おりもの》、織《お》りざまなまめきたれど、にほひやかならぬに、いと濃き掻練《かりねり》具《ぐ》して、夏の御方に、(「玉鬘」より)

初音
はつね

「初音」の帖では前帖の衣配《きぬくば》りの場面に引き続いて、新年の六条院の様子が描かれている。源氏と紫の上が暮らす春の庭には梅が咲き、室内でたく香とまがうばかりに匂いが満ちていて、まるで極楽浄土のようであると記されている。

正月ののどかな一日が終わりかけようとするころ、源氏は、六条院に住まうほかの女君たちのところを訪ねる。

新年の挨拶のためだが、「衣配り」で贈った晴れ着をまとった女君たちの姿をみるためでもあった。

六条院の正月――女君を訪ねる源氏

まず明石姫君を見舞い、それから東北の花散里《はなちるさと》の夏の御殿を訪ねて、西の対《たい》の玉鬘《たまかずら》の邸へと移る。玉鬘も源氏から贈られた山吹の襲を着ており、その華やかで輝くような姿に、源氏は魅せられる。

暮れかかるころ、明石の上の北の御殿へ渡る。明石の上も、贈られた白い小袿を着ており、そこへかかる黒髪の具合が優美で、源氏は思わず見惚れてしまい、紫の上を気にかけながらも、そこに泊まってしまうのだった。

翌日、源氏は、以前の自邸である二条院に住まう末《すえ》摘花《つむはな》や空蝉《うつせみ》の尼君を訪ねた。

空蝉は部屋の大部分を仏のしつらえに使っている。経典や仏像の飾り、閼伽《あか》の道具類も洒落ていて、人柄をしのばせていた。几帳も青鈍《あおにび》にしているのが風情があり、みずからはその陰に身をおいてすっかり姿をみせないようにしているが、やはり贈られた青鈍の織物を上に着ていて、袖口にだけ華やかな梔子《くちなし》（支子）や聴《ゆる》し色の袿がほのかにみえ、往時がなつかしく、心ひかれるのであった。

栄華を極めた太政大臣源氏の正月の風景である。

【玉鬘の衣裳】 赤き袿（茜）・山吹の花の細長（支子×茜）

「曇りなく赤き」という表現から考えると、茜で染めたものか、もしくは紅花の濃いものだが、ここでは茜で染めてみた。山吹の花色は、支子に少し茜をかけて花の彩りのような赤味のある黄色に染めた。

【末摘花の衣裳】 柳の織物（蓼藍×刈安）・生絹

本文にしたがい、糸を蓼藍と刈安で柳の葉色のような緑色に染めて唐草文様を織りあげた。表は透明感のある生絹《すずし》の白で、緑色の裏をつける。すると表からみると、柳の裏葉のように白い粉を吹いたような色になり、柳の枝がゆれて、葉の表裏が眼に入ってくるような雰囲気になる。

【花散里の衣裳】浅縹の海賦の織物（蓼藍）・濃き掻練（紅花）

縹《はなだ》という色は、『延喜式』に、「浅縹綾一疋。藍一囲」とあり、同じ青系の浅藍は、「浅藍色綾一疋。藍半囲。黄蘗八両」となる。縹は蓼藍だけで染められていて、同じような青系統でも、浅藍は蓼藍で染めてから黄蘗《きはだ》の黄を少し足しているので、わずかに緑がかったものであったと考えられる。

織物にほどこされている海賦文様というのは、波に海松《みる》や貝、岩や松原など海辺の風景を映したもの。

掻練《かいねり》とは、皆練とも書き、本来は灰汁《あく》で絹糸を練ってやわらかくしたものを、さらに砧《きぬた》で打って艶やかにした絹布の意である。しかしこの時代では、紅花で赤く染めた色をさしているので紅花で濃く染めてみた。

胡蝶

撫子《なでしこ》の細長《ほそなが》に、このころの花の色なる御小袿《こうちき》、あはひ気近《けぢか》う今めきて

胡蝶

こちょう

「弥生《やよひ》の二十日あまり」、いまの暦でいうと、四月中旬あたりだろうか、源氏は龍頭鷁首《りゅうとうげきしゅ》の船を造らせて六条院の春の御殿で船楽を催した。柳、桜、藤、山吹がいまを盛りと咲き誇っている。

その翌日は里帰りをしていた秋好《あきこのむ》中宮（六条御息所《ろくじょうのみやすどころ》の娘）の春の御読経の日で、紫の上は供養の志として、鳥や蝶の装いをした八人の童を遣わした。鳥の装束の童には銀《しろがね》の瓶《かめ》に桜を、蝶の装束の童には金《こがね》の瓶に山吹をさして出したのである。

中宮からのお返しは、鳥の童には桜の細長《ほそなが》、蝶の童には山吹の襲《かさね》という、それぞれ運んできた花にちなむものであった。

たいへん華やかな光景である。

桜の細長は「若菜上」で、山吹の襲は「若紫」「玉《たま》鬘《かずら》」で再現したので、ここでは六条院に迎えられた玉鬘が、日々洗練されて、こうした行事に集う貴公子たちの深い関心の的となり、親となっている源氏自身も惹かれていく場面に注目したい。

撫子は玉鬘をあらわす花

旧暦四月一日の更衣《ころもがえ》の日のことである。恋文をもらうようになった玉鬘のもとを源氏は訪れる。そして弟君の兵部卿宮《ひょうぶきょうのみや》（蛍宮《ほたるのみや》）や髭黒《ひげくろ》大将といった身分の高い人はともかく、若い人にはよく気をつけるようになどと訓戒をたれる。

親子であるからとして、几帳《きちょう》や御簾《みす》越しではなく直接対面しているが、玉鬘はそのような源氏の親しげな態度に戸惑いを感じている。

このときの玉鬘の衣裳は、

「撫子《なでしこ》の細長《ほそなが》に、このころの花の色なる御小袿《こうちき》、あは

ひ気近《けぢか》う今めきて」であった。撫子と「このころの花」、つまり卯月《うづき》（四月）に咲く卯の花の襲をまとっている。その色合いが親しみやすいと作者は描写する。

撫子の花には、日本古来の河原《かわら》撫子と、中国から渡来した唐《から》撫子がある。

清少納言の『枕草子』には、「草の花は、瞿麦《なでしこ》。唐のはさらなり。日本《やまと》のも、いとめでたし」とある。秋の七草のひとつとして知られる撫子は、夏のころに淡紅色の花をつける。

また卯の花は、五月から六月にかけて、白い花を結び、清涼な姿をみせている。

「常夏《とこなつ》」の帖には、玉鬘が住む西の対《たい》の庭には「撫子《なでしこ》の色をととのへたる、唐《から》の大和《やまと》の、籬《ませ》いとなつかしく結《ゆ》ひなして、咲き乱れたる」とあって、撫子の彩りは玉鬘を象徴しているといってもいいだろう。

卯の花（岡田克敏）

【卯の花の襲】 生絹（立湧紋）・生絹・葉の緑（蓼藍×黄蘗）
卯の花の白い花にちなんで、生絹《すずし》の羅《うすもの》を二枚あわせ、その下に葉の緑を蓼藍と黄蘗《きはだ》をかけあわせてあらわした。

源氏のなれなれしさに困惑の玉鬘

源氏の玉鬘への恋慕は日毎につのっていく。萌黄《もえぎ》だつ新緑のころ、源氏は西の対へいき、

「橘のかをりし袖によそふれば
　かはれる身とも思ほえぬかな」

あなた（玉鬘）を昔なつかしい亡き母君（夕顔）と、とても別人と思えません、と詠んで玉鬘の手をとる。

それに対して玉鬘は、

「袖の香《か》をよそふるからに橘の
　みさへはかなくなりもこそすれ」

亡くなった母とそっくりということは、私も母と同様にはかない運命をたどるのでしょうか、と返す。

源氏はとうとう玉鬘に添い臥して、しかし、自制してなにごともなく一夜を明かすが、源氏の言動に玉鬘の困惑は深まるばかりである。

河原撫子（岡田克敏）

【撫子の襲】花の淡紅（紅花）・葉の淡緑（蓼藍×黄蘗）

撫子の襲には諸説あって、「表紅梅　裏青」「表薄蘇芳　裏青」「表紅　裏淡紫」などがある。私はここでは撫子の花の淡い紅の彩りが表にふさわしいと思い、表は紅花で染めてみた。裏は青とあるが、王朝時代は青を緑と考えている傾向があるので、葉の淡い緑青色をあらわしたいと、蓼藍に黄蘗をかけて染めてみた。

螢

濃き単襲《ひとへがさね》に、撫子襲《なでしこがさね》の汗衫《かざみ》などおほどかにて、おのおのいどみ顔なるもてなし、見所《みどころ》あり。

螢
ほたる

源氏の接近に、玉鬘《たまかずら》の困惑は増してゆくばかりであった。源氏は、そうした自分の思いとはうらはらに、弟兵部卿宮《ひょうぶきょうのみや》（螢宮《ほたるのみや》）と玉鬘をあわせようとして、五月のある日、兵部卿宮はひそかに玉鬘のもとに渡る。

この時代、貴族の身分の高い女性たちの素顔や姿は、よほど深い仲にならなければみることはできず、兵部卿宮は几帳《きちょう》を隔ててすぐ近くに座る。

濃き単（紫根）

【花散里の童女の衣裳】濃き単（紫根）・撫子襲の汗衫（白平絹・紅花・蓼藍×黄蘗）
単は濃きとあるので、紫根で深い紫に、撫子襲（右ページ）は、白い平絹に淡紅の花の彩り、そして葉の緑を添えてあらわした。

やがて夕刻も過ぎるころ、あれこれと玉鬘の世話をやいていた源氏は、二重になっている几帳の一枚を上げて、光るものをぱっと差し出した。それは薄絹に包まれた無数の螢であった。紙燭《しそく》の灯りかと驚いて扇をかざして顔を隠す玉鬘だが、一枚の薄い羅《うすもの》のように透きとおる几帳をとおして、その美しい横顔を兵部卿宮はみてしまい、いっそう恋心を熱くするのである。

源氏の態度に戸惑う玉鬘

明くる五月五日、六条院の北東の町、花散里《はなちるさと》の御殿の東側に設けられた馬場で騎射《きしゃ》の催しがあり、源氏は西の対《たい》に住む玉鬘のもとに立ち寄る。

そのおりの源氏の姿は、

「艶《つや》も色もこぼるばかりなる御衣《ぞ》に、直衣《なほし》はかなく重《かさ》なれるあはひも、何処《いづこ》に加はれるきよらにかあらむ」

菖蒲襲《さうぶがさね》の衵《あこめ》、二藍《ふたあゐ》の羅《うすもの》の汗衫《かざみ》着たる童女《わらはべ》ぞ、西の対《たい》のなめる。

菖蒲襲（蓼藍・蘇芳）

と、御衣、すなわち直衣の下に、赤い蘇芳染の袿《うちき》を着て、薄い二藍の直衣とが重なっておそらく菖蒲《しょうぶ》（アヤメ）のような、この季節にあった彩りとなっていたのだろう。

玉鬘は、源氏が自分に愛を告白し、そのいっぽうで兵部卿宮を近づけようとして螢を放すような、そういう心苦しいことがなければ、その姿を心からすばらしいと思えるのに、と嘆いている。

その玉鬘の部屋には、五月五日の端午の節句にふさわしく薬玉《くすだま》がかけられている。

薬玉は、端午《たんご》の節句に菖蒲などこの季節の花々を造《つく》り花にして、中央にこの日に収穫した薬草を入れた赤い袋をつけ、床にかけて九月九日の重陽《ちょうよう》の節句までの飾りとする。悪病退散、長寿祈願のお守りとした。

騎射見物に集う人びとの衣裳

やがて馬場では騎射がはじまろうとしていた。これは、端午の節句にまつわる行事で、かつて貴族たちは、これから迎える湿度の高い梅雨の季節や、それにつづく暑い夏を乗り切るために、この日と定めて草原に馬を駆り、薬となる植物や鹿の角などを収獲したという習わしによっている。

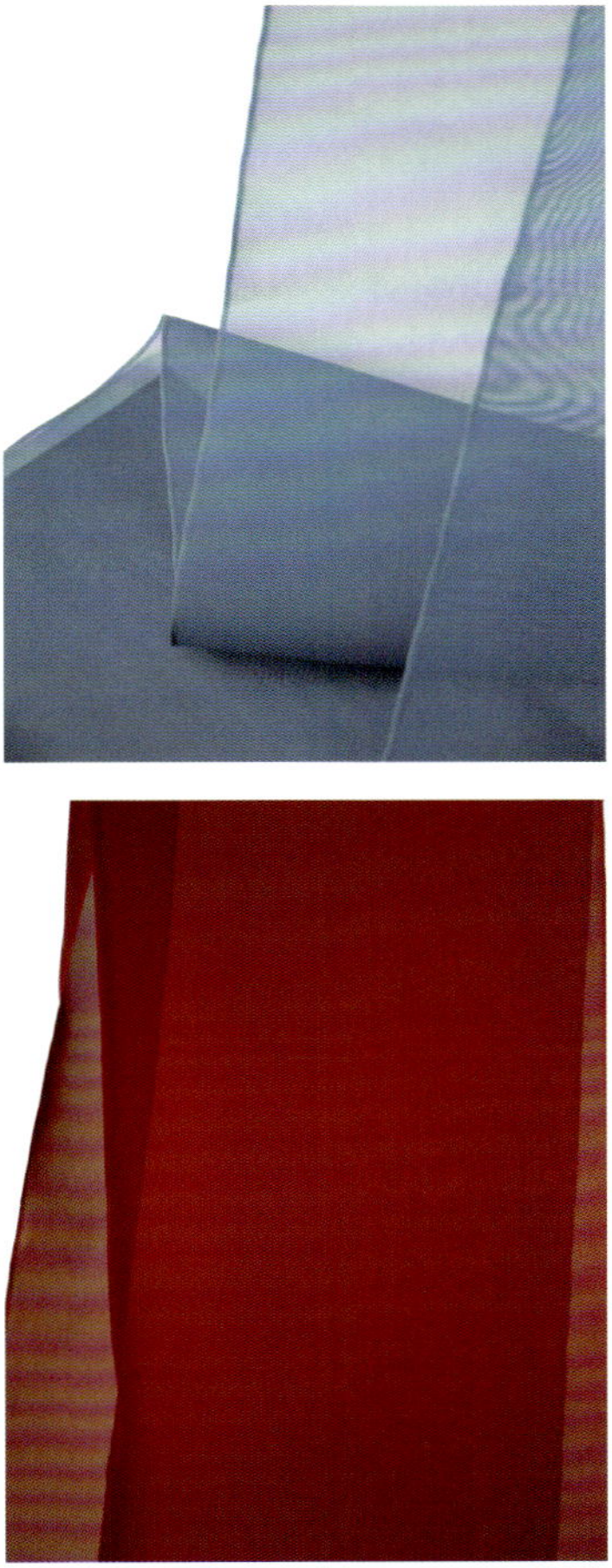

【玉鬘の童女の衣裳】 菖蒲襲（蓼藍・蘇芳）・二藍の汗衫（蓼藍×紅花）

菖蒲襲は、表に蓼藍で染めたやや淡い青色（上）を、裏には蘇芳《すおう》で染めた濃い赤色（下）を配した。光が透過すると菖蒲の花のような紫色にみえる。二藍（133ページ）は蓼藍と紅花をかけて紫色にした色であるが、ここでは幼い童女の衣裳であるから、紅を強くした明るい二藍に染めた。

今日でも、京都の下鴨《しもがも》神社で五月三日におこなわれる流鏑馬《やぶさめ》神事などに往時の行事をみることができる。馬場には晴れの催しを見物に大勢の人がやってきた。花散里や玉鬘といった女君たちは「御簾《みす》青やかに掛けわたして、今めきたる（洒落た）裾濃《すそご》の御几帳《みきちやう》」の内側からみている。立ち働く童女たちの姿が描写されている。

「菖蒲襲《さうぶがさね》の衵《あこめ》、二《ふた》藍《あゐ》の羅《うすもの》の汗衫《かざみ》着たる童女《わらはべ》ぞ、西の対《たい》（玉鬘）のなめる。好《この》ましく馴れたる限り四人、下仕へは、楝《あふち》の裾濃《すそご》の裳《も》、撫子《なでしこ》の若葉の色したる唐衣《からぎぬ》、今日のよそひどもなり（五日の節句の衣裳である）。こなたの（花散里の童女）は、濃き単襲《ひとへがさね》に、撫子襲《なでしこがさね》の汗衫《かざみ》などおほどかにて、おのおのいどみ顔なるもてなし（はりあっている様子は）、見所《みどころ》あり」

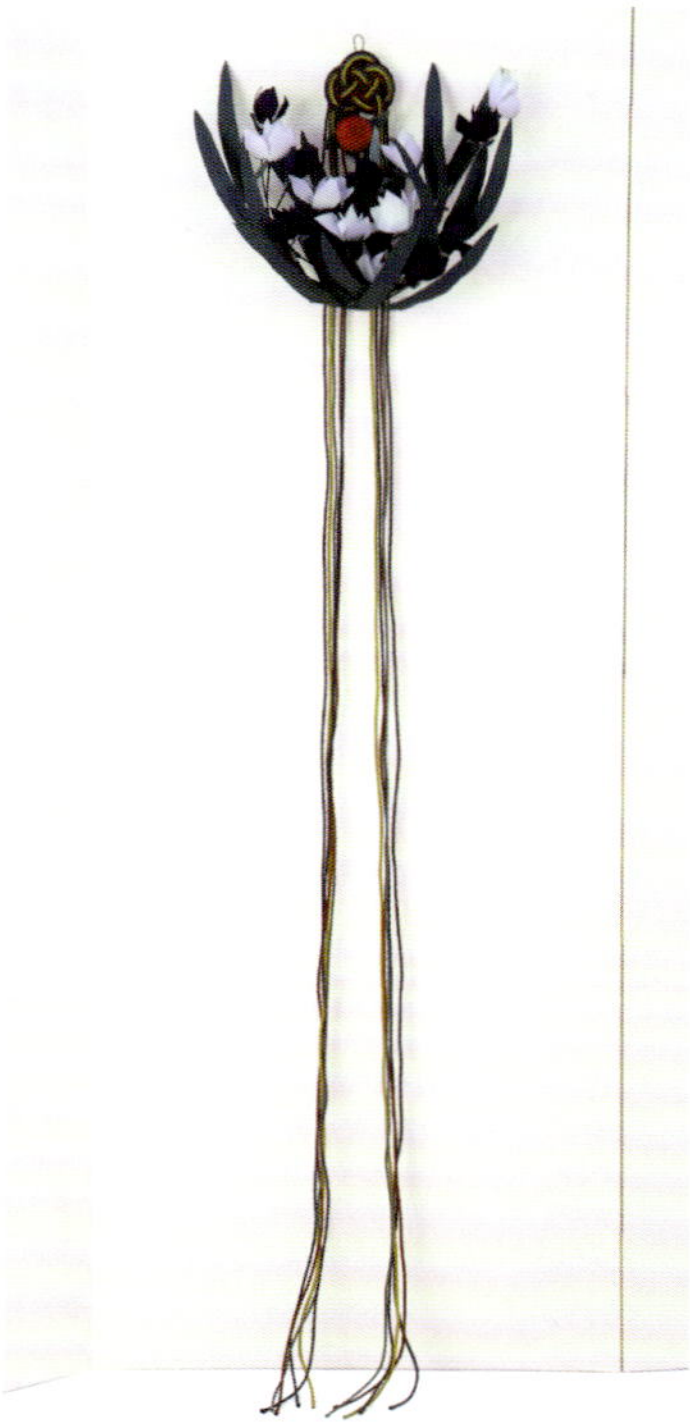

染和紙の造り花の薬玉

玉鬘の童女は、季節にあった菖蒲襲に二藍の紫色で晴れの日の上着である汗衫を着ているとある。下仕えの女の裳《も》の色である楝《おうち》は栴檀《せんだん》の古名で、初夏に薄紫色の花をつける。裾濃とは、上側は薄く、裾にいくほど濃く染色されたもののこと。

花散里の童女は濃い紫の単に撫子の若葉色の襲など、美麗な衣裳が競うかのように並んでいるさまが描かれている。

その夜源氏は、催しの女主人を務めた花散里の屋敷に泊まることにした。二人でしみじみと語りあうが、寝所も別々という仲となっている。

五月雨のころ、玉鬘の実父である内大臣（かつての頭の中将）は、ふと夕顔との間に生まれた娘のことが気にかかり、夢見を占わせる。六条院に引き取られている玉鬘がまさか自分の娘とは、まだ知らない。

二藍の汗衫（蓼藍×紅花）

撫子の若葉色の唐衣（繁菱紋《しげびしもん》　蓼藍×黄蘗・平絹　蓼藍×黄蘗）

【下仕えの衣裳】撫子の若葉色（蓼藍×黄蘗）・棟の裳（紫根）
棟《おうち》は、濃い紫色の花を咲かせるので、紫根でやや淡く、渋く仕上げた。右ページの撫子の若葉色は、蓼藍に黄蘗の澄んだ黄色をかけて鮮やかな彩りにした。

好《この》ましく馴れたる限り四人、下仕へは、棟《あふち》の裾濃《すそご》の裳《も》、撫子《なでしこ》の若葉の色したる唐衣《からぎぬ》、今日のよそひどもなり。

棟の裳（紫根）

常夏 とこなつ

「京の油照《あぶらで》り」という言葉がある。三方を山に囲まれた盆地である京都の炎暑はたえがたく、その季節をどのようにやりすごすのか古来都人が考えてきたことで、吉田兼好《けんこう》の『徒然草《つれづれぐさ》』にも「家の造りやうは、夏をむねとすべし。冬はいかなる所にも住まる。暑きころ、わろき住居は堪へがたき事なり」という記述がある。

優雅な生活を送っていたと思われる王朝貴族たちも、夏の暑さには苦労していたようで、この「常夏」の帖にその情景が描かれていて興味深い。

「いと暑き日」の宴

源氏は三十六歳である。「いと暑き日」に釣殿《つりどの》という庭園を流れる小川に張り出した殿舎に源氏が息子の夕《ゆう》霧《ぎり》や内大臣（かつての頭の中将）の長男柏木《かしわぎ》など親しい殿上人を招いて気楽な宴を催している。

「西川よりたてまつれる鮎《あゆ》、近き川のいしぶしやうのもの、御前《おまへ》にて調《てう》じて参らす。……大御酒《おほみき》参り、氷水《ひみづ》召して、水飯《すいはん》など、とりどりにさうどきつつ食《く》ふ」

「西川」つまり桂川でとれた鮎や、「近き川」である賀茂川の石伏《いしぶし》を目の前で調理させて食し、氷室《ひむろ》から切り出した氷を入れた水やお酒も飲んで少しでも夏の暑さを減ずるといった避暑の宴である。

この宴が終わりを迎えるころ、日暮れの風が涼しく吹いているのでさらにくつろぎ、源氏は若者をひきつれて玉鬘《たまかずら》の住む御殿へ出向く。夕霧や柏木は玉鬘が美しい娘であることを噂《うわさ》に知っていて、心をそそられるのである。

御殿には、季節にふさわしく撫子の花が、それも中国より到来した唐《から》撫子や日本古来のものがいりまじって咲き乱れ、風情がある佇まいをみせている。

光源氏は、玉鬘を内より外に近づかせ、もちろん、

【羅の単】

羅《うすもの》とは文字通り薄く織った絹織物のことで、生糸を絡織《からみおり》して透き目を粗くした紗《しゃ》や、紗と平織を組みあわせて透き目をつくった絽《ろ》なども羅の一種である。

ここではまだ少女らしさがぬけきれない雲居雁《くもいのかり》の昼寝の様子をイメージして、白地の羅に扇を添えてみた。

常夏

御簾《みす》か几帳《きちょう》を隔てて玉鬘を座らせ、直接に姿をみせないようにしているが、若者たちにその姿を垣間みせようとするのである。

そのおりの会話を聞いていくうちに、玉鬘は実の父の内大臣と源氏の間がしっくりといっていないことを感じとる。

「昼寝したまへる」雲居雁

内大臣は、自分の娘たちの身の振り方に頭を悩ませていた。夕霧と恋仲になっている雲居雁《くもいのかり》の結婚を許さずにいることもそのひとつである。

あるとき、内大臣は雲居雁の部屋へいって、

「姫君は、昼寝したまへるほどなり。羅の単《うすもののひとへ》を着たまひて臥したまへるさま、暑かはしくは見えず、いとらうたげに（とてもかわいらしく）ささやかなり。透《す》きたまへる肌つきなど、いとうつくしげなる手つきして、扇《あふぎ》を持《も》たまへりけるながら、かひな（腕）を枕にて」

という様子をみてしまう。

雲居雁は羅の単（下着）をまとって昼寝をしており、小柄でとてもかわいらしい体つきをしている。単を通してみえる肌も美しく、その手には扇をもち、腕を枕にして寝ており、父が部屋に入ってきても気がつかない。

暑い盛りでもあり、邸内でくつろいでいたのだろう、ほとんど裸に近い姿である。このように姫君のしどけない描写はこの物語ではあまり語られておらず、興味深いが、雲居雁はこのあと父内大臣にいくら邸内でもそのような格好でうたた寝をしてはいけないと叱られるのであった。

氷室の守護神・北区の氷室神社社域（紫紅社）

篝火

かがりび

この「篝火」の帖は短く、色彩的にみるべきところがないため、簡単に物語のみを紹介しておこう。「常夏」の後半に、近江《おうみ》の君という姫君が登場するが、この姫は、内大臣が源氏のもとにいる玉鬘を自分の娘とは知らずに、その評判の高さに対抗心を燃やして探し出させた実の娘である。

近江の君は明るくて愛嬌のある娘なのだが、貴族社会で育っていないので行儀作法を知らず、またたいへんな早口のため父内大臣から嫌われて、弘徽殿女御《こきでんのにょうご》（内大臣の娘）に預けられてしまう。

玉鬘はそのことを知って、源氏が言い寄ってくるのには困っているが、無体なことをするわけでもなく、親以上によくしてもらっていることを考えて、源氏にようやく打ち解けていくのである。

源氏と玉鬘の贈答歌

風が涼しく吹きはじめた秋の夜のことである。

西の対の玉鬘を訪れた源氏は、庭の篝火をみながら、

「篝火《かがりび》にたちそふ恋の煙《けぶり》こそ
世には絶えせぬ炎《ほのほ》なりけれ」

篝火から立ちのぼる私の恋の煙は、いつまでも消えない思いなのですよ、と、くどくのだ。

「行方《ゆくへ》なき空に消《け》ちてよ篝火の
たよりにたぐふ煙《けぶり》とならば」

篝火の炎とともに、果てしない空に煙を消してくださいませ――こう玉鬘は返歌した。

東の対からゆかしい笛の音が聞こえてくる。

柏木が吹いているのである。源氏は柏木やお供している若い公達《きんだち》を呼び寄せて、琴笛を奏させ、玉鬘も御《み》簾《す》越しに、じつは血のつながった兄である柏木の姿に目をこらす。

しかし、柏木は玉鬘が妹と知らず、美しいと評判の玉鬘を前に緊張してうまく和琴《わごん》を引くことができなかった。

野分

紫苑《しをん》、撫子《なでしこ》、濃き薄き衵《あこめ》どもに、女郎花《をむなへし》の汗衫《かざみ》などやうの、時にあひたるさまにて、

【女郎花の織物】 経糸（蓼藍×黄蘗）×緯糸（刈安）

女郎花の織物は、『装束抄』という古典籍の解釈を借りると、「経青、緯黄」という平織物であらわすという。

そこで絹の生絹の細い糸を、少し緑がかった彩り、すなわち蓼藍に黄蘗をかけあわせたものを経糸として、緯糸は刈安で染めた黄色を打ちこんで女郎花の彩りを表現した。

野分《のわき》

源氏は野分（台風）が去った翌朝早くに息子の夕霧をよび、使者として六条院のそれぞれの御殿へ見舞いにいかせて、様子を聞いてくるよう申しつけた。この帖は夕霧が垣間みる六条院の女君たちの様子を描いている。

野分が去った秋好中宮の庭

夕霧はまず里帰りをしていた秋好《あきこのむ》中宮の邸を訪問する。この秋、秋好中宮の庭には例年になく秋の花が絢《けん》爛《らん》に咲き乱れていた。

ほのかな朝ぼらけのなかに、野分のあとなので、だれものぞいたりはしないだろうと、気を許して御簾《みす》を巻きあげて女房たちがいる。

「童女《わらはべ》おろさせたまひて、虫の籠《こ》どもに露飼はせたまふなりけり。紫苑《しをん》、撫子《なでしこ》、濃き薄き衵《あこめ》どもに、女郎花《をむなへし》の汗衫《かざみ》などやうの、時にあひたるさまにて」

女郎花（岡田克敏）

童女が庭におりて籠の虫に露を与えている。その衣裳は、紫苑、撫子、女郎花など、いまの秋の季節に美しく咲いている花を映したような彩りのものである。その童女たちが「撫子《なでしこ》などの、いとあはれげなる枝ども取《も》り持て参る霧のまよひは、いと艶《えん》にぞ見えける」、霧のなかで撫子などの風にいためつけられた枝を折りとっている姿は幽艶であると夕霧はみる。

紫苑は、野菊のような小さな花をつけ、その色は赤味の淡い紫色である。撫子の花は、これまでにも紹介してきたように淡い紅色に染める。

女郎花の花は、枝分かれした緑色の茎の先に、黄色い粉をまき散らしたようにみえる。

はげしい野分が都大路を吹き抜けたあとも、王朝の女人たちはまさに秋の野にふさわしい〝時にあひたる〟装いで優雅な暮らしをしていたのである。

初秋の用意に余念がない花散里

そののち、夕霧の報告を受けて、今度は源氏が見舞いにいくが、花散里《はなちるさと》の御殿を訪れたときのこと。

野分が通り過ぎて急に寒くなったので思い立ったのか、裁ち物をする年老いた女房や細櫃《ほそびつ》のようなものに真綿《まわた》をかけて引き延ばしている若い女房もいる。

この物語が書かれた当時、日本にはまだ木綿《もめん》は存在していない。「綿《わた》」とは蚕《かいこ》の繭《まゆ》を引き延ばした真綿のことで、それを何枚か重ねて衣裳のなかに入れ、綿入れのようにする準備をしていると思われる。

花散里は夕霧の世話も引き受けているので、彼の衣裳の用意もしている。

紫苑の襲

撫子の襲

濃き薄き（桔梗）の襲

朽葉色の羅と今様色

「いときよらなる朽葉《くちば》の羅《うすもの》、今様色《いまやういろ》の二《に》なく擣《う》ちたるなど、ひき散らしたまへり」

たいそうきれいな朽葉色の羅や今様色（濃い紅色）の絹を砧《きぬた》で打って艶《つや》出ししたものが花散里の前に散らばっている。花散里の手はよく動いたようである。

【紫苑の襲】 表より紫根・白平絹・蓼藍×刈安

紫苑の襲は「表薄紫、裏青」である。紫草の根で淡く二段に染めて、その花の彩りにして、葉の緑（当時は青といった）を添えた。

【撫子の襲】 表より紅花・白平絹・蓼藍×刈安

撫子は、紅花で淡く染めてこれも二段として、淡い緑の色は藍も薄く、黄も薄くかけていかにも撫子の葉茎のようにあらわした。

【濃き薄き（桔梗）の襲】 表より紫根・白平絹

濃き薄き（紫）とあるので、私は桔梗の花の彩りをさしていると解釈した。桔梗の花色の渋い紫の花色にするため、紫根を媒染剤の椿の灰汁を強めにして染めてみた。なお桔梗の襲は二藍（蓼藍×紅花）でも表現される。

【朽葉色の羅と今様色】 朽葉色（安石榴×茜）・今様色（紅花）

朽葉色とは、紅葉が朽ちて黄褐色になるところをあらわしている。ここでは安石榴《ざくろ》の渋い黄色に茜を少しかけた。今様色は流行色のことで、紅染のかなり濃いものをさしている。

行幸

青色の袍《うへのきぬ》、葡萄染《えびぞめ》の下襲《したがさね》を、殿上人《てんじやうびと》、五位六位まで着たり。

行幸

みゆき

この帖では、色彩描写として冷泉帝《れいぜいてい》の大原野《おおはらの》行幸に注目したい。

西山の山麓に建つ大原野神社は藤原氏の氏神、奈良春日社の神霊を勧請《かんじょう》し、天皇や藤原一族の高い尊崇をうけていた。またこのあたりは鷹狩《たかがり》の地でもあった。

源氏はこの行幸に加わらなかったが、華やかな行列を一目みようと大勢の人が街道をうめた。そのなかに玉鬘もいて、冷泉帝の赤色の袍《ほう》に魅了されたり、実の父の姿も目にした。

上位の人たちの装いも見事であったが、「青色の袍《うへのきぬ》、葡萄染《えびぞめ》の下襲《したがさね》を、殿上人《てんじやうびと》、五位六位まで着たり」とある。

青色の袍とは、天皇の日常着で禁色《きんじき》である「麹塵色《きくじん》」のこと（「絵合」96ページ参照）であるが、晴れの日には諸臣が麹塵色をまとう。

「新潮日本古典集成」の頭注によると、醍醐《だいご》天皇の皇子重明《しげあきら》親王の日記『吏部王記《りほうおうき》』には、「其装束、御《おほん》、赤色袍、親王公卿及殿上侍臣六位以上、着麹塵袍」とある。紫式部は延喜年間（九〇一～九二三）におこなわれた行幸を参照して書いているので、信憑性は高い。

麹塵色と摺衣の考察

この麹塵色は紫根と刈安で染められた緑系の色である。室内では薄茶色に、太陽の下では緑が浮くように映える不思議な色であり、この染色は極めて高度な技術となる。

そのため、大量に染められたかどうかは私からみて疑問がのこる。むしろそれに似せた青色（当時は緑色を青色といった）である可能性もある。

もうひとつ染色の興味として、「近衛《このゑ》の鷹飼《たかがひ》どもは、

【五位、六位の色】 麹塵の袍（紫根×刈安）・葡萄染の下襲（紫根）

麹塵色の染色が極めて高度な技術で染められると本文で書いた。それは紫根染単独でも、にごりのない紫色を出すのがむずかしいうえに、さらに刈安をかけて不思議な緑系の色に染めなければならないためである。何度も失敗をくり返して、ようやく染められる色なのである。しかもここでは紫根による葡萄染《えび》を重ねている。五位、六位といっても、ずいぶん贅沢な色をまとっていたといえよう。

まして世に目馴れぬ摺衣《すりごろも》を乱れ着つつ」の一行があり、この「摺衣」とは、山藍《やまあい》をつぶした汁で、さまざまな模様を摺りだすという原始的な染色法である。

　山藍は時間がたつと色が変色してきたなくなるため、ここでは蓼藍の生葉で摺衣を表現してみた。

大原野神社（岡田克敏）

【若竹文様青摺衣】（蓼藍生葉）
　ここでは蓼藍で摺染したが、新嘗祭《にいなめさい》の儀式や天皇の御大典には、京都府八幡市石清水《いわしみず》八幡宮境内に生育する山藍《やまあい》で摺った衣が献上されていた。
　山藍は名にあるような青色成分の「藍」を含んでいないので、時間がたつと変色するが、蓼藍の生葉が夏前後の一定期間にしか収穫できないのに対して、山藍は一年中緑を保っているため、このような儀式のときに使われたとされる。

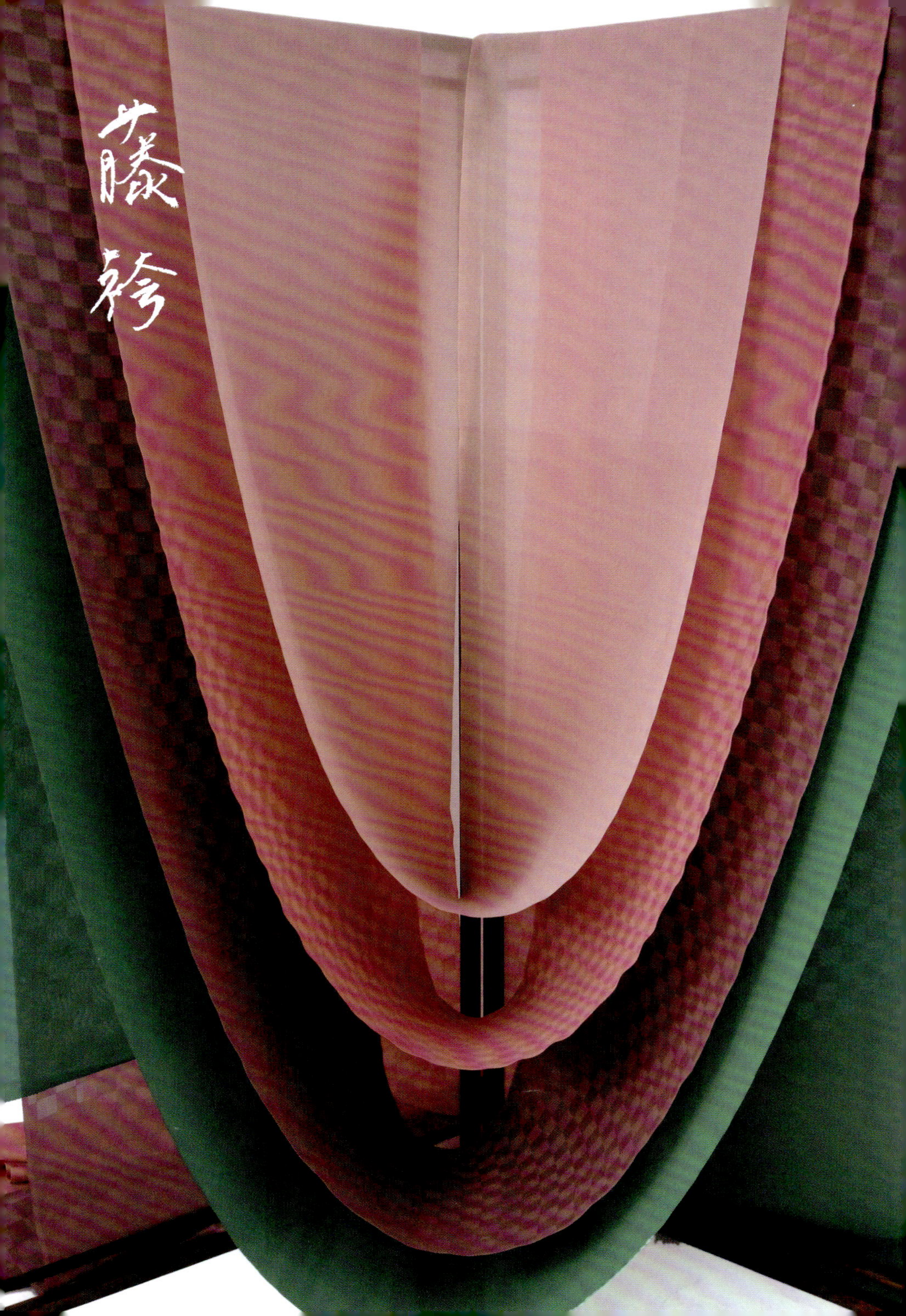
藤袴

藤袴

ふじばかま

「藤袴」の帖は、玉鬘《たまかずら》が裳着《もぎ》の儀（女性の成人式）ののち、尚侍《ないしのかみ》に任じられ、宮廷への出仕するかどうか悩んでいることが読者に告げられる。

入内すると、自分の異母姉妹である弘徽殿女御《こきでんのにょうご》や秋《あき》好《このむ》中宮と冷泉帝《れいぜいてい》の寵を競わなくてはならないと、ますます悩みが深くなっている。

祖母大宮（内大臣の母）が亡くなり、玉鬘は「薄き鈍《にび》色《いろ》の御衣《ぞ》」をまとって喪に服している。そこへ、源氏の名代として夕霧が訪ねてくる。

大宮は夕霧にとっては外祖母だが、小さなころ養育してもらっていたこともあり、「(玉鬘の鈍色と)同じ色の今すこしこまやかなる直衣《なほし》姿」で、通常の縁故より少し濃い鈍色を着ている。

藤袴に恋情を託す夕霧

玉鬘と姉弟ではなくいとこ同士であったことはすでに夕霧にも知らされていた。以前より玉鬘に惹かれていた夕霧は、

「蘭《らに》の花のいとおもしろきを持《も》たまへりけるを、御簾《みす》のつまよりさし入れて」
歌を詠む。

「同じ野の露にやつるる藤袴《ふぢばかま》
　あはれはかけよかことばかりも」

蘭の花とは秋の七草のひとつで、淡紫色の花を咲かせる藤袴の漢名である。喪に服すときに着る「藤衣」（「少女」108ページ参照）にかけて、同じ祖母を悼んで喪服を着ているご縁のある私たちですから、やさしい言葉をかけてください、と気持ちを打ち明ける。

それに対して玉鬘は、藤袴の花色をみて、

「尋《たづ》ぬるにはるけき野辺の露ならば
　薄紫やかことならまし」

と返す。薄紫は「紫の縁《ゆかり》」つまり血縁を意味し、縁の遠い間柄なら紫の縁も効を奏すでしょうけれど、すでにふたりは実の姉弟と同然で、それ以上のご縁はないでしょう、と夕霧の求愛を退けるのであった。

「藤袴」の後半では、玉鬘の宮中への出仕を前に求婚の文が次々と届けられることが語られる。

藤袴の花（岡田克敏）

【藤袴の色彩】 右より赤味の淡紫（紫根×茜）・赤味の濃紫（紫根×蘇芳）・葉の色（蓼藍×刈安）

ここでは藤袴の彩りを再現した。乾燥した茎や葉が蘭《らん》と同じような芳香をはなっていたため、中国で蘭とよばれていた藤袴は、わずかに赤味が感じられる紫色の花をつける。

紫根染に茜をかけたものと、紫根染にやや淡い蘇芳の赤をかけたもので花の彩りとした。また、蓼藍に刈安をかけて葉の緑をあらわした。

真木柱

まきばしら

この帖で、求婚者のうちの無骨な髭黒大将《ひげくろのたいしょう》が玉鬘《たまかずら》を強引にものにしたという意外な事実が知らされる。髭黒には、物《もの》の怪《け》がついた北の方がいて、乱心のさまに恐れをなして自邸に寄りつこうとしない。北の方の父式部《しきぶ》卿宮《きょうのみや》は髭黒の不誠実をなじって北の方と女姫をひきとる。

邸を去るときに姫君が、「檜皮《ひはだ》色の紙の重ね」に「今はとて宿かれぬとも馴《な》れ来つる　真木《まき》の柱はわれを忘るな」と真木《まき》（杉や檜《ひのき》などの良材）の柱に別れの歌を書いた。

「檜皮」とは、薄く剥《は》いだ檜の樹皮のことで、これで葺《ふ》いた屋根（檜皮葺）を寺社の建築などにみることができる。「檜皮色」はそのような赤味がかった茶色のことである。

ここでは樹皮や木の実の茶の染料に蘇芳《すおう》の赤をかけて檜皮色の和紙を染めてみた。

物語は、玉鬘が髭黒の子どもを生み、玉鬘に対する源氏らの恋愛騒動は終結する。

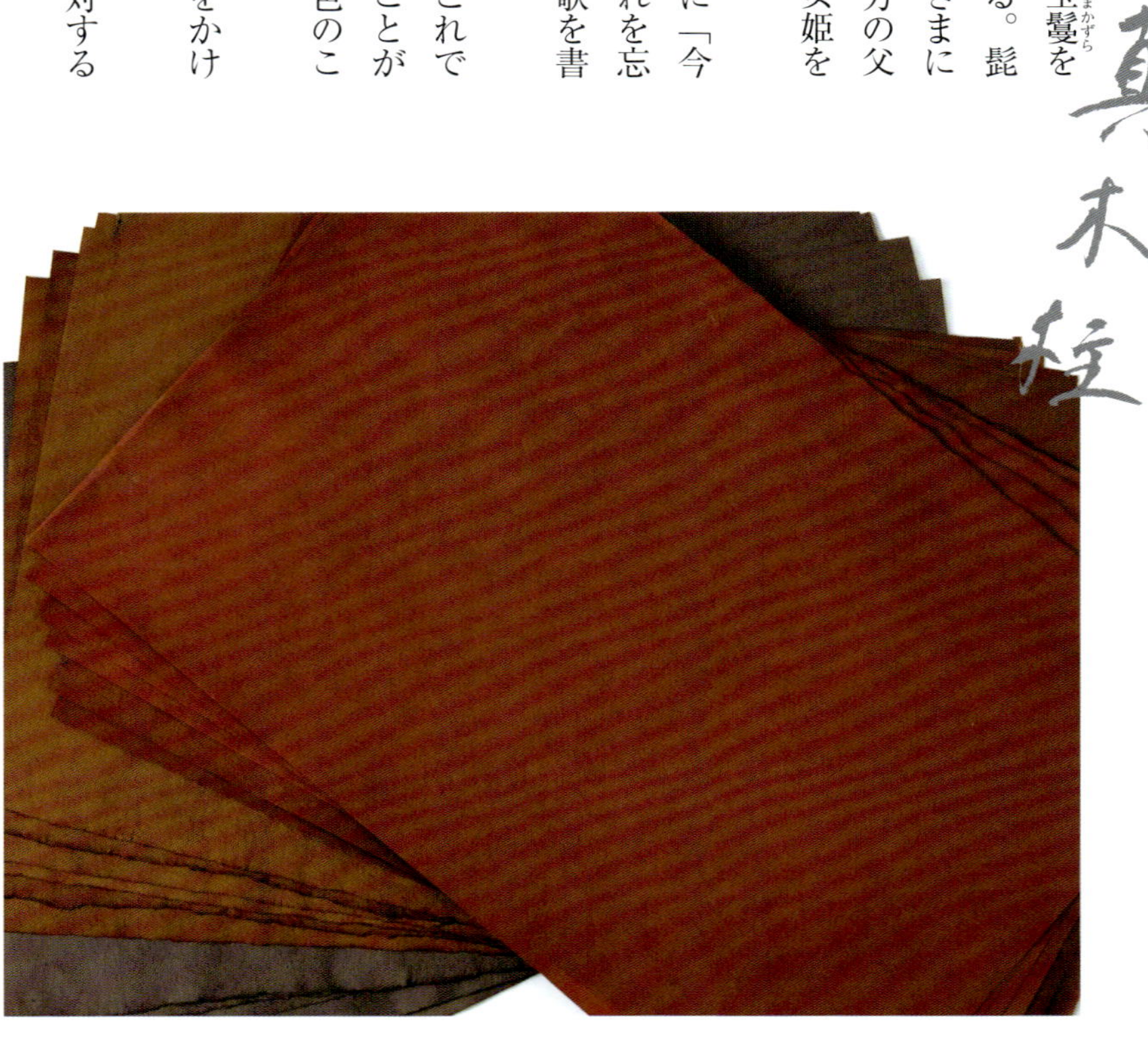

梅枝

うめがえ

「正月の晦日《つごもり》」、明石姫君の裳着《もぎ》（成人式）の準備に源氏は余念がない。

二条院の蔵をあけさせて「唐《から》のもの」、つまり中国渡来の「錦《にしき》、綾《あや》など」、また桐壺院の生前に贈られた「高麗人《こまうど》のたてまつれりける綾《あや》、緋金錦《ひごんき》どもなど」をとりよせて、絢爛豪華な衣裳や調度を調えている。そして、今出来《いまでき》のものより古いものがいいといっている。

錦《にしき》は中国において発明された多彩な文様をあらわした織物で、東西の国々に輸出され垂涎《すいぜん》の的となった。日本へは隋《ずい》、唐《とう》の時代にすでにもたらされ、法隆寺や東大寺正倉院にも伝来している。『源氏物語』が書かれたころは和様の美が形成されていたが、まだ古き中国のものを尊ぶ傾向がたぶんにあったようである。

ここで興味深いのは、「緋金錦」、すなわち金襴《きんらん》が記されていることである。金襴は金箔を和紙で裏打ちして細く切って糸とし、織りこんでいる。

ここに掲げた錦（金襴）は、古法にのっとって復元した。「唐のもの」の雰囲気をみていただきたい。

藤裏葉

「直衣《なほし》こそあまり濃くて軽《かろ》びためれ。非参議《ひさんぎ》のほど、何となき若人《わかうど》こそ、二藍《ふたあゐ》はよけれ。ひきつくろはむや」

藤裏葉

ふじのうらは

この帖は、長年の恋を実らせて夕霧《ゆうぎり》と雲居雁《くもいのかり》の結婚が許される話からはじまっている。

三月二十日、夕霧のよい理解者であった祖母大宮の三回忌が極楽寺で営まれた。夕霧は十八歳、ほかの上達部《かんだちめ》にひけをとらない堂々とした様子に雲居雁の父内大臣は目をとめる。法要が終わったのち、桜の花が散り乱れ、霞《かすみ》がたちこめている優美な夕暮れのなかで、内大臣と夕霧は和解するのであった。

夕霧への源氏の助言

内大臣の邸の庭で「四月朔日《ついたち》ごろ、御前《おまへ》の藤の花、いとおもしろう咲き乱れて、世の常の色ならず」というおりに、内大臣は藤の宴をひらき、夕霧を招くことにして、息子の柏木《かしわぎ》を使者に出す。

夕霧がその報告を源氏にすると、これまでの諍《いさか》いも氷解するだろうからと快く出席を許す。そのときに、夕霧の衣裳について、

「直衣《なほし》こそあまり濃くて軽《かろ》びためれ。非参議《ひさんぎ》のほど、何となき若人《わかうど》こそ、二藍《ふたあゐ》はよけれ。ひきつくろはむや」

二藍の直衣を着ていくのはいいけれども、紅の色が濃すぎて非参議や、とくに官職もない若い人のように身分が軽くみえるから、もう少し大人っぽくしていきなさい、と助言する。そうして自分のものからやや渋

【夕霧の衣裳】 二藍の直衣（蓼藍×紅花）・丁字染（丁字）

二藍については「帚木《ははきぎ》」の帖で説明をしているので詳細ははぶくが、蓼藍と紅花をかけあわせる二藍は、紅花を強くすると華やかな赤紫に、源氏の助言のように大人っぽくするにはやや藍色を強くして地味な色合いとなる。

丁字《ちょうじ》は『源氏男女装束抄』に「丁字を濃く煎じる汁にて染めたるものなり。香染ともいふなり」とある。夕霧の丁字色は、丁字で染めたあと明礬《みょうばん》で発色させたものである。これに白い綾地の練絹《ねりぎぬ》をあわせた。

い二藍のすばらしい直衣をあたえるのであった。

　念入りに身をととのえて夕霧は内大臣邸へむかう。

そして結婚を許されるのであった。

源氏の二藍、夕霧の二藍

　翌日、源氏は夕霧の結婚を知り、後朝《きぬぎぬ》の文《ふみ》のことなどいろいろ教訓をたれる。そのときの二人の衣裳は、

「大臣《おとど》（源氏）は、薄き御直衣《なほし》、白き御衣《ぞ》の唐《から》めきたるが、紋《もん》けざやかにつやつやと透《す》きたるをたてまつりて……宰相殿《さいしやうどの》（夕霧）は、すこし色深き御直衣《なほし》に、丁《ちやう》字染《じぞめ》のこがるるまでしめる、白き綾《あや》のなつかしきを着たまへる」

　源氏は薄縹《うすはなだ》色の直衣に文様がはっきり浮きでて艶《つや》やかに透けてみえる白い唐織《からおり》、夕霧は昨夜源氏から贈られた二藍の直衣に、丁字《ちょうじ》で焦茶色にみえるほど濃く染めた袿《うちき》にやわらかい白い綾を身につけている。

　丁字とは熱帯地方に生育するフトモモ科の植物で、その花の蕾を乾燥させて染料とする。英語のクローブで知られる香辛料でもあるが、煎じているといい香りがただよい、染めた布にも香りがのこるため「香色《こういろ》」

赤味の二藍（蓼藍×紅花）

やや赤味の二藍（蓼藍×紅花）

ともよばれている。

物語はその後、明石姫君の入内と、北の方として姫君に付き添って参内した紫の上が、後見は生母明石の上にゆだねることになった。紫の上と明石の上ははじめて対面してお互いの人柄を認めあう。

源氏は准太上天皇（上皇に準じる待遇）となり、十月二十日すぎに六条院行幸があり、栄華の絶頂を示すのである。

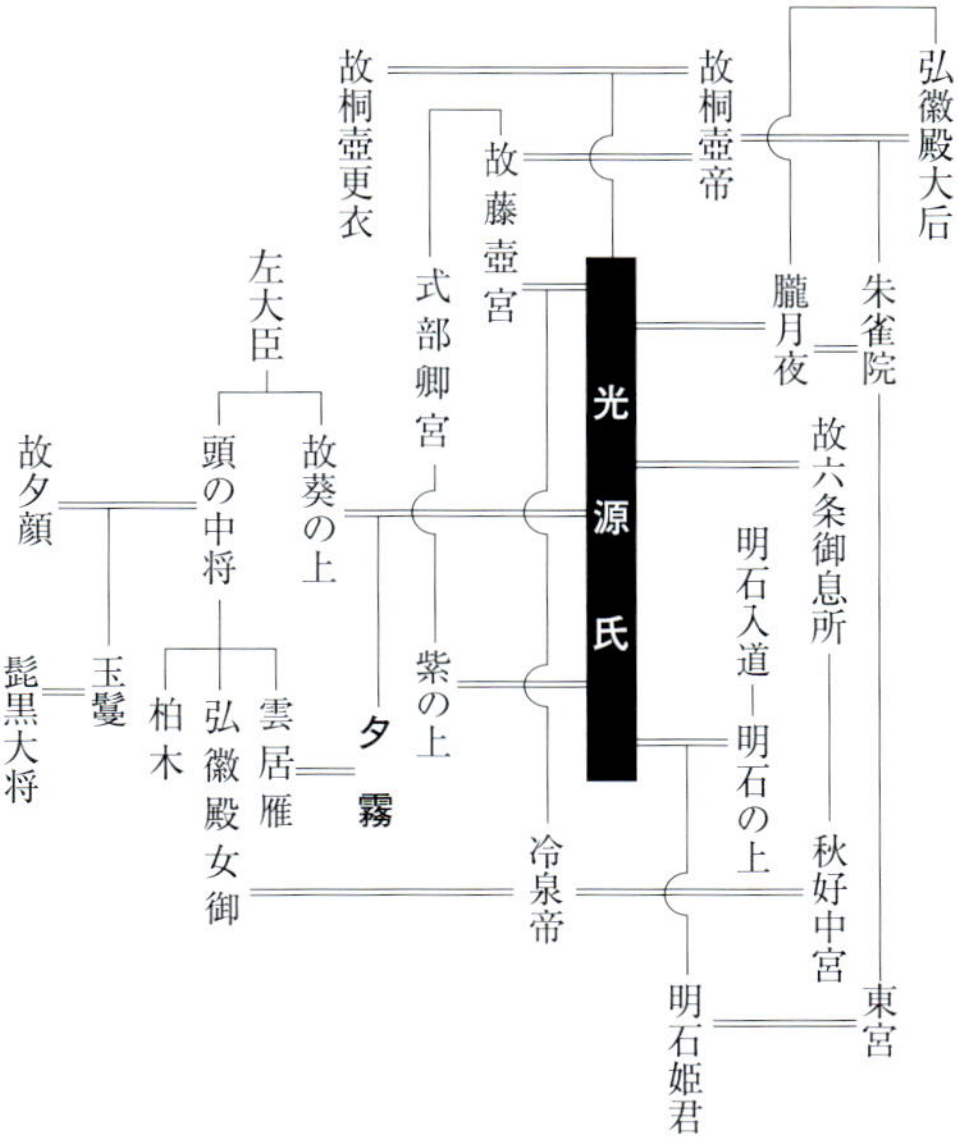

やや青味の二藍（蓼藍×紅花）

丁字染（丁字）

若菜上

紅梅《こうばい》にやあらむ、濃き薄き、すぎすぎに、あまたかさなりたるけぢめはなやかに、草《さう》紙《し》のつまのやうに見えて、桜の織物の細長《ほそなが》なるべし。

若菜上《わかな》

源氏が栄光の座を極めているころ、兄である朱雀院《すざくいん》の病が重篤となり、院は出家を決意する（仁和寺《にんなじ》になぞらえる）。気がかりはまだ幼さののこる女三の宮のことで、朱雀院は源氏に後見を頼み、源氏は降嫁を承諾する。

そのことにより、六条院に暗雲がたれこめる。そのはじまりが「若菜上」の帖である。

永く暮らしてきた源氏との生活を思うと、紫の上の焦燥はただごとではないが、悲しみを抑えて平静を装っている。

御室仁和寺（岡田克敏）

やがて正月、光源氏は四十歳となり、いまは左大将となった髭黒《ひげくろ》の北の方である玉鬘《たまかずら》が源氏の四十の賀に若菜を献じる。このころ、正月子《ね》の日に若菜を摘んで贈る風習があった。帖の名はこの若菜にちなむ。

そして、「きさらぎの十余日《じふよにち》に、朱雀院《すさくゐん》の姫宮、六条の院へわたりたまふ」とあって、二月十日すぎ、女三の宮が降嫁してきた。

しかし女三の宮は、身分は申し分ないものの人柄は源氏にとっては頼りなさすぎて、つい紫の上のすばらしさとくらべてしまうのである。

女三の宮を垣間みる柏木

そんな源氏の思いとはうらはらに、頭の中将の息子、柏木《かしわぎ》は、幼いころから朱雀院に参上して親しく仕えていたので、朱雀院が女三の宮を大切に思っていたことも知っているし、自分も姫に恋心を抱いていた。もし

自分に降嫁していただいていたら、と諦めきれない気持ちでいる。

翌年の三月の終わりのことである。六条院で、柏木、夕霧らも参加して蹴鞠《けまり》をすることになった。そのおり女三の宮も女房たちにとりかこまれて御簾《みす》のうしろで見物していた。そこへ小さな唐《から》猫《ねこ》が大きな猫に追いかけられて御簾の端から飛び出してきて、唐猫がつけていた綱が引っかかり、御簾の端がなかがみえるほどに引き上げられてしまった。

「几帳《きちやう》の際《きは》すこし入りたるほどに、袿姿《うちきすがた》にて立ちたまへる人あり。……紅梅《こうばい》にやあらむ、濃き薄き、すぎすぎに、あまたかさなりたるけぢめはなやかに、草紙《さうし》のつまのやうに見えて、桜の織物の細長《ほそなが》なるべし」

袿姿で奥に立っている女三の宮は、紅梅襲の濃い色から薄い色に重なっていて、袖口や裾のは華やかで、上には桜の細長（高貴な女性の日常着）を着ている。その姿を柏木はみてしまうのである。

かねてより女三の宮に思いをよせていた柏木の心が、恋慕の情にみちて乱れていく。

【紅梅の袿と桜の細長】 袿（紅花）・細長（生絹）

女三の宮は紅梅を思わせるような紅色の袿を何枚もまとって、袖口や裾が草紙（和綴じ本）の小口にようにみえるという。紅梅の襲を染めるのに、蘇芳の赤を入れることも考慮したが、蘇芳の青味がかった暗めの赤よりも、若い女三の宮には紅花の赤がふさわしいと考えて、紅の濃淡の暈繝《うんげん》にした。

この上に、生絹《すずし》の白の透けた細長をつけると、下の紅色が透けてみえて桜の花が咲いたようにみえる。着用して歩くと、咲き乱れた桜花が、風にそよいでいるかのような雰囲気となる。この生絹で幸菱紋を織りこんだ。

若菜下

紅梅《こうばい》の御衣《ぞ》に、御髪《ぐし》のかかりはらはらときよらにて、火影《ほかげ》の御姿、世になくうつくしげなるに、

若菜下

わかな

前帖から四年の歳月がたっている。冷泉帝《れいぜいてい》は譲位され、今上帝《きんじょうてい》が即位し、源氏の娘明石姫君（明石女御）が生んだ皇子が東宮となっている。

この帖で色を語るうえで興味深いのは、源氏が四十七歳を迎えた正月の十九日、六条院に住まう女性たちによって催された「女楽《おんながく》」の場面である。

「空もをかしきほどに、風ぬるく吹きて、御前《おまへ》の梅も盛《さか》りになりゆく。おほかたの花の木どもも、皆けしきばみ、霞みわたりにけり」

という、早春の麗しい日のことであった。

襖障子《ふすましょうじ》をとりはらって、それぞれの女君たちを几帳《きちょう》で隔てて座らせ、外からは姿がみえないようにして、紫の上は和琴《わごん》を、明石の上は琵琶《びわ》を、懐妊して六条院に下がっていた明石女御は箏《そう》の琴を弾き、女三の宮は

【明石女御の紅梅の御衣】 単（白絹）・袿（蘇芳）

紅梅の御衣は、一番上の袿は濃い蘇芳に染めた糸を七宝紋の紗（絡織《からみおり》の織物）に織りあげた。その裏は、順に下にいくほど少しずつ淡くする薄様《うすよう》で重ねてみた。

柳《やなぎ》の織物《おりもの》の細長《ほそなが》、萌黄《もえぎ》にやあらむ、小袿《こうちき》着て、
羅《うすもの》の裳《も》のはかなげなる引きかけて、

琴を奏する。

　どの女性たちの調べも美しく、夜が暮れてあたりが静かになるなかに優雅な音が響きわたっていく。

女楽と女君たちの姿

　源氏は美しい調べを奏する女君たちをのぞきみて、その姿を花になぞらえる。

　女三の宮は、

「二月の中《なか》の十日《とをか》ばかりの青柳《あをやぎ》の、わづかにしだりはじめたらむここちして」

　と、二月の青柳が風にゆるやかになびいているようだとたとえている。

「桜《さくら》の細長《ほそなが》に、御髪《ぐし》は左右《ひだりみぎ》よりこぼれかかりて、柳の糸のさましたり」

　と、かよわい姿であるが、桜襲の細長を着て、髪が左右にこぼれて柳の糸のようである。この桜の細長は前帖の図版を参照してもらいたい。

　明石女御は、

「よく咲きこぼれたる藤の花の、夏にかかりて、かたはらに並ぶ花なき朝ぼらけ」

　と初夏の朝ぼらけの藤の花のようであるとたとえる。女御は「紅梅《こうばい》の御衣《ぞ》」をまとっている。

　そして紫の上は、

「花といはば桜にたとへても、なほものよりすぐれたるけはひことにものしたまふ」

　とあって、だれよりも抜きん出た美しさを称えている。衣裳は「葡萄染《えびぞめ》にやあらむ、色濃き小袿《こうちき》、薄蘇芳《うすすはう》の細長《ほそなが》」、葡萄染であろうか、濃い紫色の小袿に薄蘇芳の細長を召している。

【明石の上の装束】 柳の織物（経糸　蓼藍生葉×黄蘗　緯糸　白）・萌黄の小袿（蓼藍生葉×黄蘗）・裳（羅地）
　この柳の織物は、古い文献にならって「経《たて》青、緯《よこ》白」という経糸を蓼藍の生葉で染めて、さらに黄蘗の黄色をかけて、緯糸に白を打ちこんで、柳の裏葉のようにやや白くみえるようにした。萌黄色は、柳の表色で、これも蓼藍に黄蘗《きはだ》をかけたものだが、白が入っていないため、まさしく春の柳の若い葉色となっている。
　裳《も》は腰に結いつけるスカートのような女房装束であるが、明石の上は自分より身分の高い人たちと同席していることをわきまえて着用している。裳は海辺の風景を映した図柄が多いという。

そして明石の上は、

「五月待《さつき》つ花橘《はなたちばな》、花も実《み》も具《ぐ》しておし折れるかをりおぼゆ」

と、花も実も一緒に折りとった香り高い花橘に見立てている。

「柳《やなぎ》の織物《おりもの》の細長《ほそなが》、萌黄《もえぎ》にやあらむ、小袿《こうちき》着て、羅《うすもの》の裳《も》のはかなげなる引きかけて」

と、柳襲に萌黄の小袿を着て、同席の身分の高い女君に敬意を表して、女房風の裳（腰から下にまとう装束）を引きかけているという出立ちである。

暗雲たちこめる六条院

当時の貴婦人の姿を直接みることができる男性は、親兄弟か夫または恋人に限られる。つまりこの場面は源氏だけがみることができる、まさに百花繚乱の情景である。

しかし、源氏の栄光にも少しずつ影がさしかかる。女楽ののち、三十七歳の女の厄年であった紫の上が病をえて二条院に移ることとなる。藤壺宮も三十七歳で亡くなっているので、源氏は懸命に看病をする。

その源氏の留守の間に、柏木《かしわぎ》はついに女三の宮と契ってしまい、その結果、宮は懐妊することになる。そのことを知った源氏は苦悩に沈み、柏木も罪の意識に病に臥《ふ》してしまうのであった。

【紫の上の衣裳】葡萄染（紫根×茜）・小袿（紫根）・細長（蘇芳）

紫の上は「葡萄染」だろうか、色濃き小袿を着ているとある。ここでは葡萄染と、「色濃き」のあとに略されている「紫色」をみていただきたい。葡萄染（真ん中の紫）は紫根に少し茜をかけ、色濃きは何度も紫根染をくり返して染めた。薄蘇芳は、蘇芳染。紫の上にふさわしい、贅沢な色である。

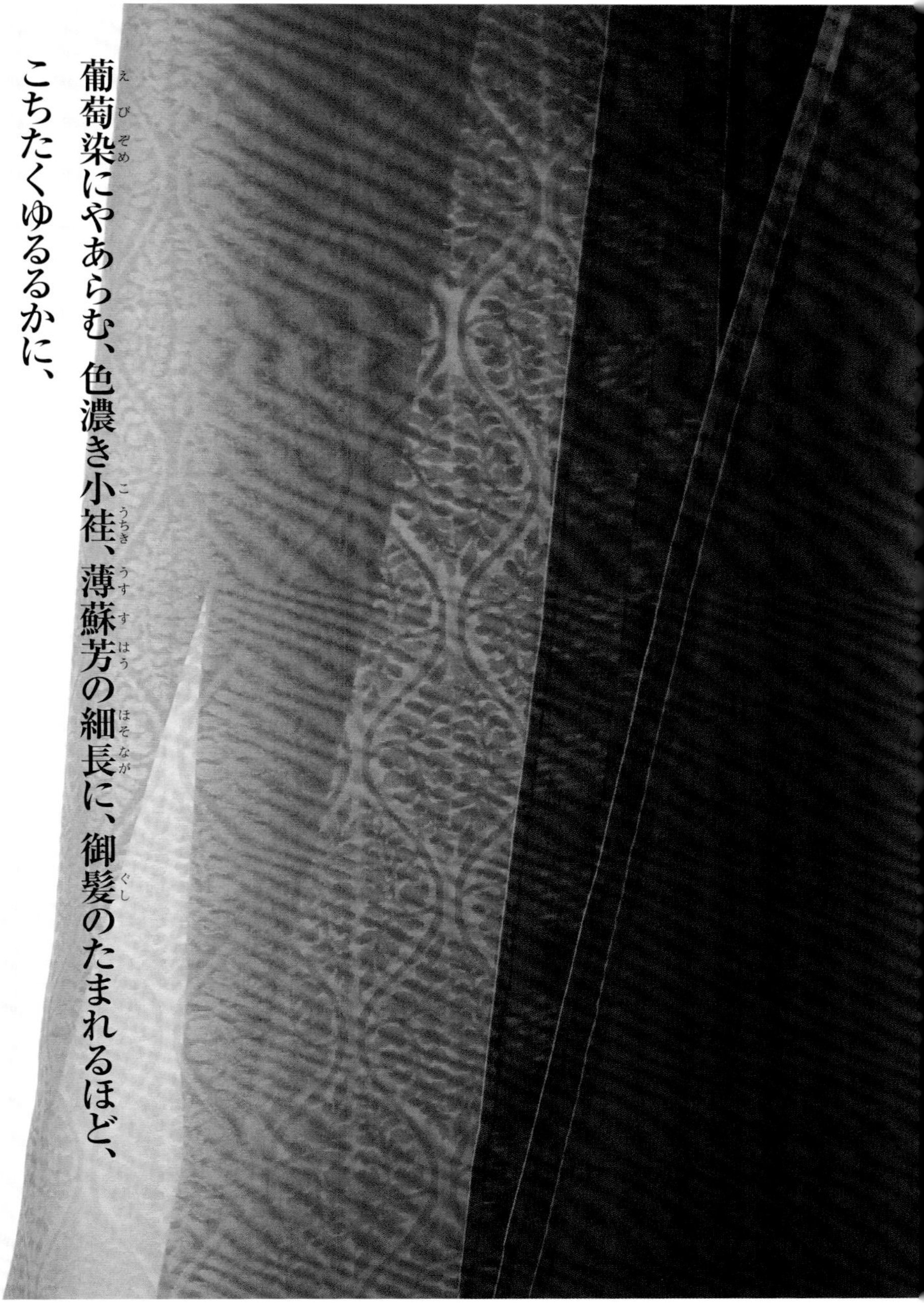

葡萄染《えびぞめ》にやあらむ、色濃き小袿《こうちき》、薄蘇芳《うすすはう》の細長《ほそなが》に、御髪《ぐし》のたまれるほど、
こちたくゆるるかに、

柏木

かしわぎ

女三の宮との関係を源氏に知られ、十二月の六条院の試楽のおりの酒宴でたしなめられた柏木の病はいよいよ重くなっていく。

いっぽう女三の宮は、男児（のちの薫《かおる》）を出産する。源氏は、自分と藤壺宮のことを思い、因果応報に恐怖するのであった。

女三の宮の出家と柏木の死

そのようなことを知らないまわりの人びとからは、次々にお祝いの品が届く。女三の宮は、罪の意識で食事も喉をとおらないほどで、ついに父朱雀院《すざくいん》が見舞いにきたときに、院を導師として出家してしまうのだった。

柏木は男児誕生や女三の宮の出家を知り、ますます衰弱して、見舞いにきた夕霧に、北の方の落葉宮《おちばのみや》のことを託して、ついに亡くなってしまう。

ヤブカンゾウ（岡田克敏）

「弥生《やよひ》になれば、空のけしきものうららかにて」、三月のうららかな日、柏木と女三の宮の子どもは五十日《いか》の祝いをむかえる。生後五十日のお祝いで餅を含ませるのだが、若君は色白でまるまるとしてかわいらしい。

母である出家した女三の宮は、尼であるから、お祝いの席にはそぐわない「すぎすぎ見ゆる鈍色《にびいろ》ども、黄《き》がちなる今様色《いまやういろ》など着たまひて」、重なってみえる鈍色に黄がちの紅色の表着を着ている。おそらく萱草《かんぞう》の花のような渋い黄紅の彩りであろう。

源氏は、鈍色というのは、なじむことのできない悲しい色ですね、と嘆くのであった。

【女三の宮の尼僧姿】 中鈍色（檳榔樹）・濃鈍色（矢車）・今様色（紅花×支子）

中鈍色は、檳榔樹《びんろうじゅ》の実（檳榔子）で染めて鉄分で発色させた。檳榔樹は熱帯、亜熱帯地方に生育するヤシ科の植物で、奈良時代の昔からの輸入品である。鈍色の淡くて上品な彩りを染めるのに欠くことのできないものである。濃いめの鈍色は、矢車《やしゃ》で染め鉄分で発色させた。

「黄がちなる今様色」は、紅花で赤く染めたあとに、支子《くちなし》の黄色をかけて、萱草《かんぞう》の花のような彩りに染めあげた。

柏木

すぎすぎ見ゆる鈍色《にびいろ》ども、黄《き》がちなる今様色《いまやういろ》など着たまひて、まだありつかぬ御かたはらめ、かくてしもうつくしき子どものここちして、なまめかしうをかしげなり。

横笛

横笛

よこぶえ

柏木が亡くなって一年がたった。女三の宮との間に生まれた薫《かおる》は可愛いさかりである。

若君は「白き羅《うすもの》に、唐《から》の小紋《こもん》の紅梅《こうばい》の御衣《ぞ》の裾《すそ》、いと長くしどけなげに引きやられて」、着物の裾を引きずって、おなかが丸見えになっている。まるで柳の木を削ってつくった彫刻のようで、幼子は頭を剃っているので、その青々とした様子が「露草《つゆくさ》してことさらに色どりたらむここちして」とあり、露草で染めたようであるという。

【薫の着物】

薫は袴をつけていないため、ハイハイすると背中のほうに着物がたくしあがってしまったのだろう。源氏でなくとも、思わずほほえんでしまうような情景である。幼児なので紅梅の色は紅花で明るめに染めてみた。

夏から秋にかけて瑠璃《るり》色の花をつける露草《つゆくさ》は人目を引くのか花びらを摘み取り、花摺《はなずり》の染料として用いられてきた。近世の染織においては、友禅染《ゆうぜんぞめ》の下絵描きに使う青紙《あおがみ》の材料にも使われている。

夕霧は柏木の北の方の邸一条の宮へたびたび訪れて、北の方の落葉宮《おちばのみや》や母の御息所《みやすどころ》をなぐさめる。秋の夕べ、一条の宮で落葉宮が琴を、夕霧が琵琶を合奏した帰りがけ、御息所は柏木遺愛の横笛を夕霧に贈るのであった。

笛の処遇に迷った夕霧は源氏に相談する。源氏は自分がその笛をあずかろうといった。

鈴虫

おはしける限り皆参りたまふ。直衣《なほし》にて軽《かろ》らかなる御よそひどもなれば、下襲《したがさね》ばかりたてまつり加へて、

鈴虫

すずむし

「夏ごろ、蓮《はちす》の花の盛りに、入道の姫宮の御持仏《ぢぶつ》どもあらはしたまへる、供養《くやう》ぜさせたまふ」

「鈴虫」の帖は、出家した女三の宮（入道の姫君）が持仏の開眼供養をおこなう場面からはじまる。

源氏は唐《から》の錦の幡《はた》、花机の目染《めぞめ》の覆《おおい》、銀《しろがね》の花瓶《はながめ》、白《びゃく》檀《だん》でつくった阿弥陀仏と脇侍《きょうじ》の菩薩、香は唐風の百歩先まで香るという衣香《えこう》、そして源氏が自ら書いた阿弥陀経などを調える。

藍が強く渋い二藍・源氏と兵部卿宮

【五種の二藍と下襲】

二藍は、蓼藍生葉と紅花で染めた。本文にも書いたように、年齢によって、藍色が強いか、紅色が強いかがわかれてくる。この年代だとこのくらいの二藍の色ではないかという想像をして、年代の違う男たちの二藍の装いを一覧にしてみた。

上掲の「源氏物語絵巻」をみると、貴公子（夕霧とされる）が黒っぽい菱文を羅《うすもの》に織った透けた下襲《したがさね》を高欄《こうらん》に長く引いてかけている。高欄にかかった下襲の曲線が繊細で見事な造形美を醸し出している。私はこの黒っぽい色は「藍下黒《あいしたぐろ》」、つまりあらかじめ藍で染めて、それを矢車や団栗の実で染めて、墨色ながら藍の青が感じられるような気品ある色に染めてみた（177ページ）。

国宝「源氏物語絵巻　鈴虫二」（五島美術館蔵）

藍と紅が同じくらいの二藍・夕霧

藍がちの明るい二藍・冷泉院

幡（ばんとも）とは寺院で慶賀のおりに掲げられる旗のことで、錦の織物や夾纈《きょうけち》（板締による染色法）の染色などの華やかな彩りに染織されているものが多い。目染とは絞りのことである。さらに阿弥陀経は、唐からの輸入品はもろいので、北山から流れ出る紙屋川《かみや》のほとりにあった宮廷の紙漉所で漉かせたものである。罫を引いた金泥より、源氏の文字のほうが立派だと人びとは目をみはる。

年代によって変わる「二藍」の色

秋になって女三の宮が父朱雀院《すざくいん》から贈られた三条の御殿の庭を源氏はととのえてあげて、鈴虫を放つ。

八月十五日の夕暮れ、御所の月見の宴が中止になってものたりなく思っていた人びとが、源氏がこの御殿にいることを聞きつけて、弟の兵《ひょう》部《ぶ》卿宮《きょうのみや》や夕霧たちがやってきて宴となった。そのところへ上皇となられた冷泉院からお召しがかかり、皆はなにはさておきと駆けつける用意をはじめた。

「院（源氏）の御車に、親王《みこ》（兵部卿宮）たてまつり、大将（夕霧）、左衛門《さえもん》の督《かみ》（柏木の弟）、藤宰相《とうさいしやう》（柏木の

やや紅が強い二藍・左衛門の督

紅が強い二藍・藤宰相

弟と思われる）など、おはしける限り皆参りたまふ。

直衣《なほし》にて軽《かろ》らかなる御よそひどもなれば、下襲《したがさね》ばかりたてまつり加へて」


平安期の男の夏の日常着である直衣《のうし》は、二藍色であったとされる。赤紫系は若い人の直衣、藍系でほんのわずかしか紅花を使わないのはやや年をとった男性の色である。

源氏物語絵巻の再現

この場面の再現は、五島美術館所蔵の国宝「源氏物語絵巻　鈴虫二」を参考に、五十歳の源氏や四十代の兵部卿宮、三十二歳の冷泉院、二十九歳の夕霧、さらに若い左衛門の督や藤宰相といった年齢の違う男たちが集うという場面であるので、さまざまな二藍の色をみてもらおうと思った。


三条の御殿では、普段着の直衣姿のままであったが、さすがに院のもとへいくということで、

「下襲《したがさね》ばかりたてまつり加へて」

直衣に下襲を加えて、少しあらたまった装いででかけている。

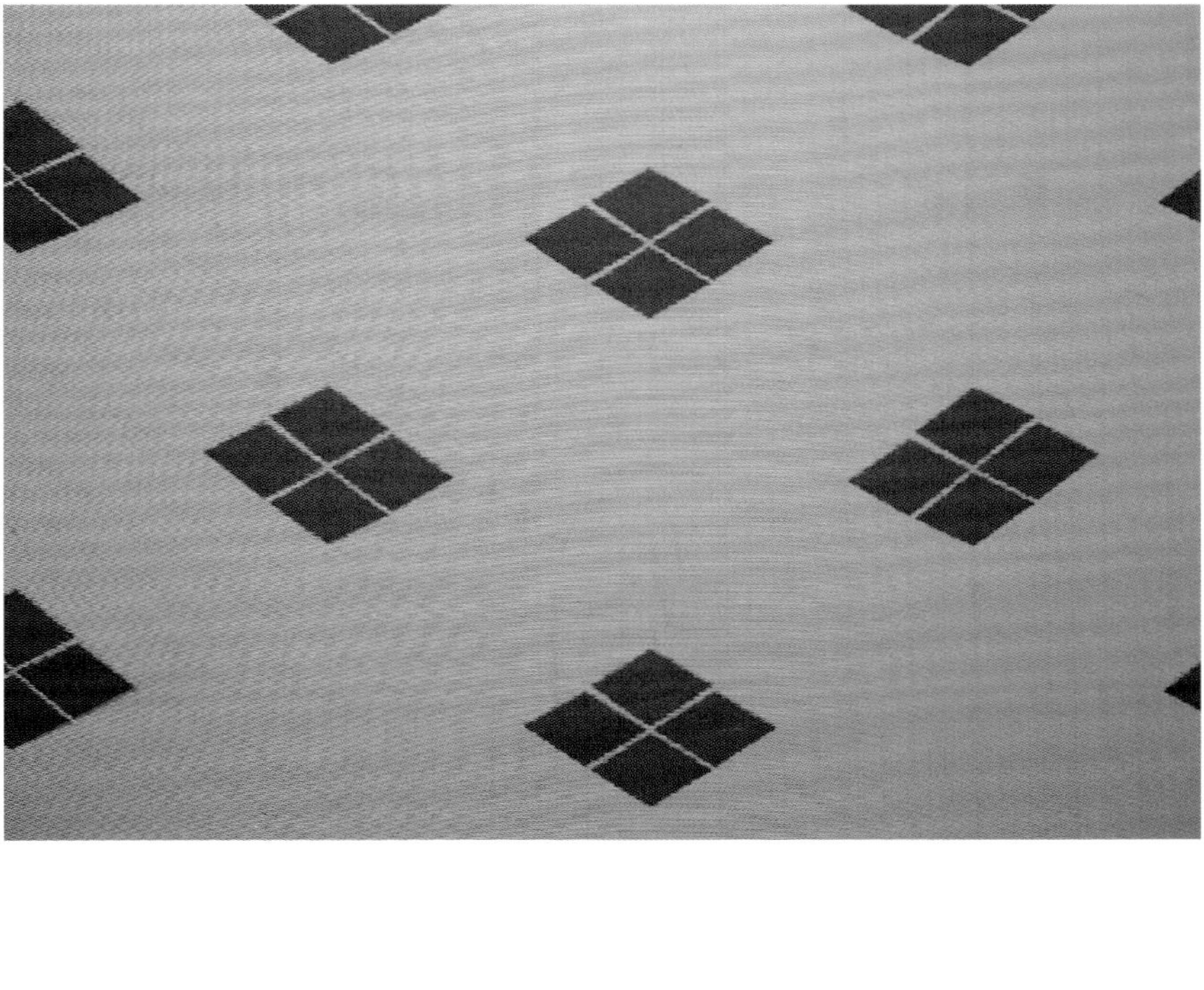
下襲・藍下黒（蓼藍先染×矢車）

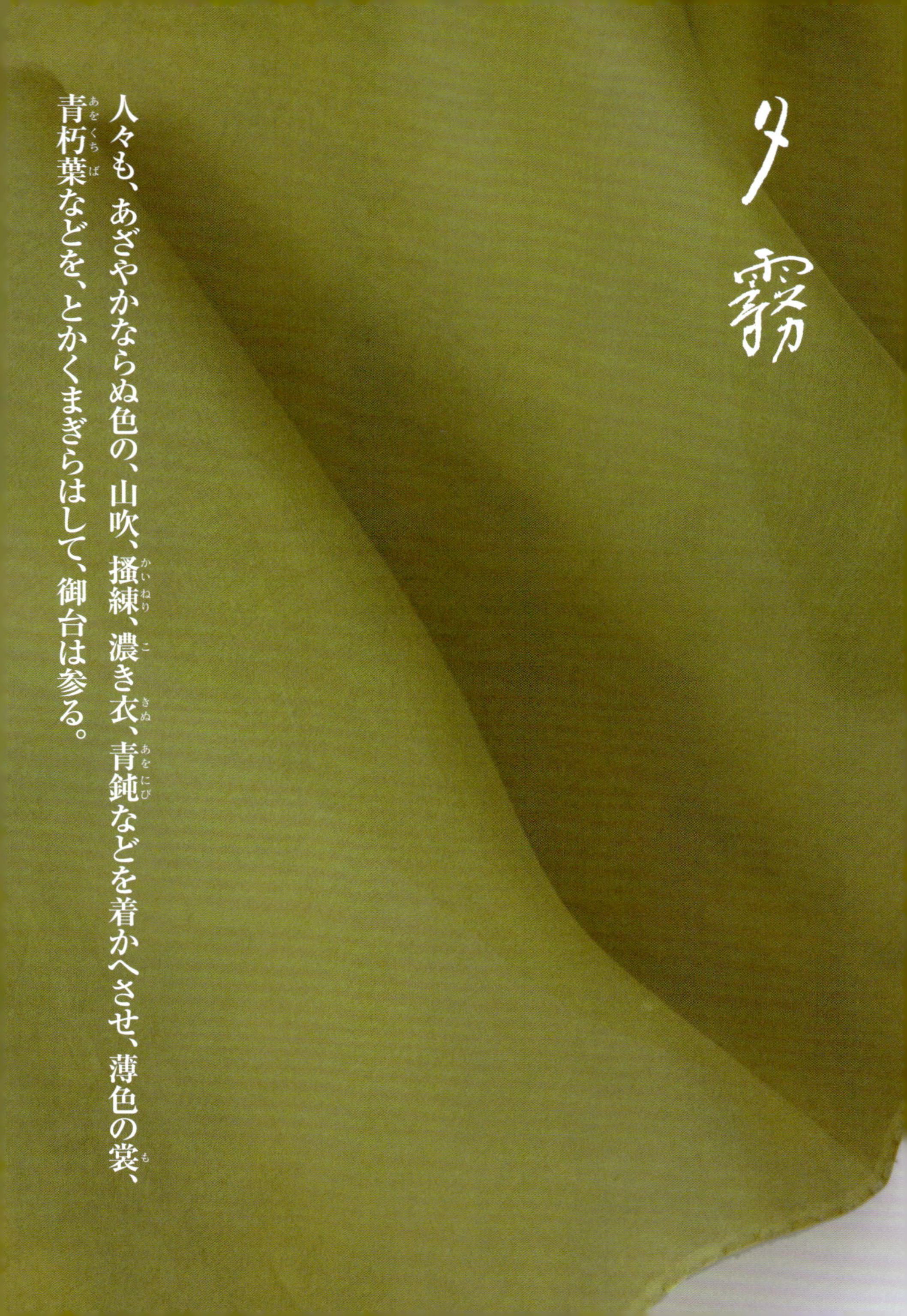

夕霧

人々も、あざやかならぬ色の、山吹、掻練《かいねり》、濃《こ》き衣《きぬ》、青鈍《あをにび》などを着かへさせ、薄色の裳《も》、青朽葉《あをくちば》などを、とかくまぎらはして、御台は参る。

夕霧

ゆうぎり

夕霧は、亡き柏木《かしわぎ》の北の方落葉宮《おちばのみや》への思いがより深くなっていく。

八月半ばの秋めいてきた日、落葉宮の母一条御息所《いちじょうのみやすどころ》が物の怪患《わずら》いのため、住まいを移した小野の地、いまの修学院離宮《しゅうがくいんりきゅう》があるあたりに建つ山荘へ夕霧は見舞いに訪れた。

そして、宵に落葉宮のところへ忍んで気持ちを打ち明けるが、宮は受け入れず、二人はなにごともない一夜を過ごすことになる。

母の一条御息所は、夕霧に文を送ってそれとなく娘をあたえることをほのめかす。ところが、その文を夕霧の北の方雲居雁《くもいのかり》が隠してしまい、夕霧の返事が遅れているうちに一条御息所は心痛のあまり亡くなってしまった。

夕霧の一途な恋

夕霧は葬儀ののち、再び小野の里を訪れ、女房の小《こ》少将《しょうしょう》をよぶ。小少将は、御息所の姪である。御息所が

【女房たちの衣裳】

喪中であるから、あまり華やかな色を女房たちは着ていない。178ページから順に説明すると、青朽葉は、青葉が秋になって少し朽ちはじめた色をあらわしていて、蓼藍の生葉染に

←

山吹

掻練

青朽葉▶

幼いころから育ててきたので、少将の悲嘆も深い。

「衣《きぬ》の色いと濃くて、橡《つるばみ》の裳衣一襲《もきぬひとかさね》、小袿《こうちき》着たり」

と、橡、つまり櫟《くぬぎ》などのブナ科の実である団栗《どんぐり》で染めた深い鈍色の衣裳をまとっている。

落葉宮は出家を願うが、父である朱雀院《すざくいん》に諌《いさ》められて、夕霧によって小野から一条の邸に連れ戻される。

しかし宮は嫌って塗籠《ぬりごめ》（四方の壁を塗りこめて調度品などをしまっておく部屋）に閉じこもってしまった。だが夕霧は小少将を責め立てて塗籠のなかへ入り、しばらく表向きは結婚が成立したことにしましょう、と宮を説得する。

不本意ながら落葉宮はようやく塗籠を出て、いつもの居間に戻る。

「色異《こと》なる御しつらひも、いまいましきやうなれば、東面《ひむがしおもて》は屏風《びやうぶ》を立てて、母屋《もや》の際《きは》に香染《かうぞめ》の御几帳《みきちやう》など、ことことしきやうに見えぬもの」

居間は、婚儀であるから、喪中のしつらえは縁起が悪いので、東側には屏風を立てて喪中の調度品を隠し、香染《こうぞめ》（丁字染）の几帳などを使ってあまり喪中らしくみえないようにしている。

揚梅《やまもも》のやや地味な黄色をかけてみた。

山吹は、支子《くちなし》の実で染めた赤味のある黄色、掻練は紅花で染めた赤色、濃きはそのあと「紫」が省略されているので紫根で染めた。青鈍は蓼藍で染めてから矢車《やしゃ》の黒をかけた。

濃き（紫）

青鈍

女房たちの衣裳も同様で、

「人々も、あざやかならぬ色の、山吹、掻練《かいねり》、濃《こ》き衣《きぬ》、青鈍《あおにび》などを着かへさせ、薄色の裳《も》、青朽葉《あをくちば》などを、とかくまぎらはして、御台は参る」

目立たない彩りの山吹、掻練、濃い紫、青鈍などの衣裳を着替えさせて、薄紫色や青朽葉色を着て工夫をしている。

落葉宮のことを聞いた雲居雁《くもいのかり》はおおいに怒って子どもたち（四男三女）を連れて父（かつての頭の中将）の邸に戻ってしまう。

そして、夕霧が迎えに行っても帰るそぶりもみせないのであった。

橡（団栗）の実（紫紅社）

【小少将の鈍色】 橡（団栗）

物語のなかで、「鈍色」という色名をよくみかけるが、矢車や檳榔樹《びんろうじゅ》で染めたものが多く、橡の例は少ない。私の工房で、団栗を実と葉ごと煮出して染めてみた。

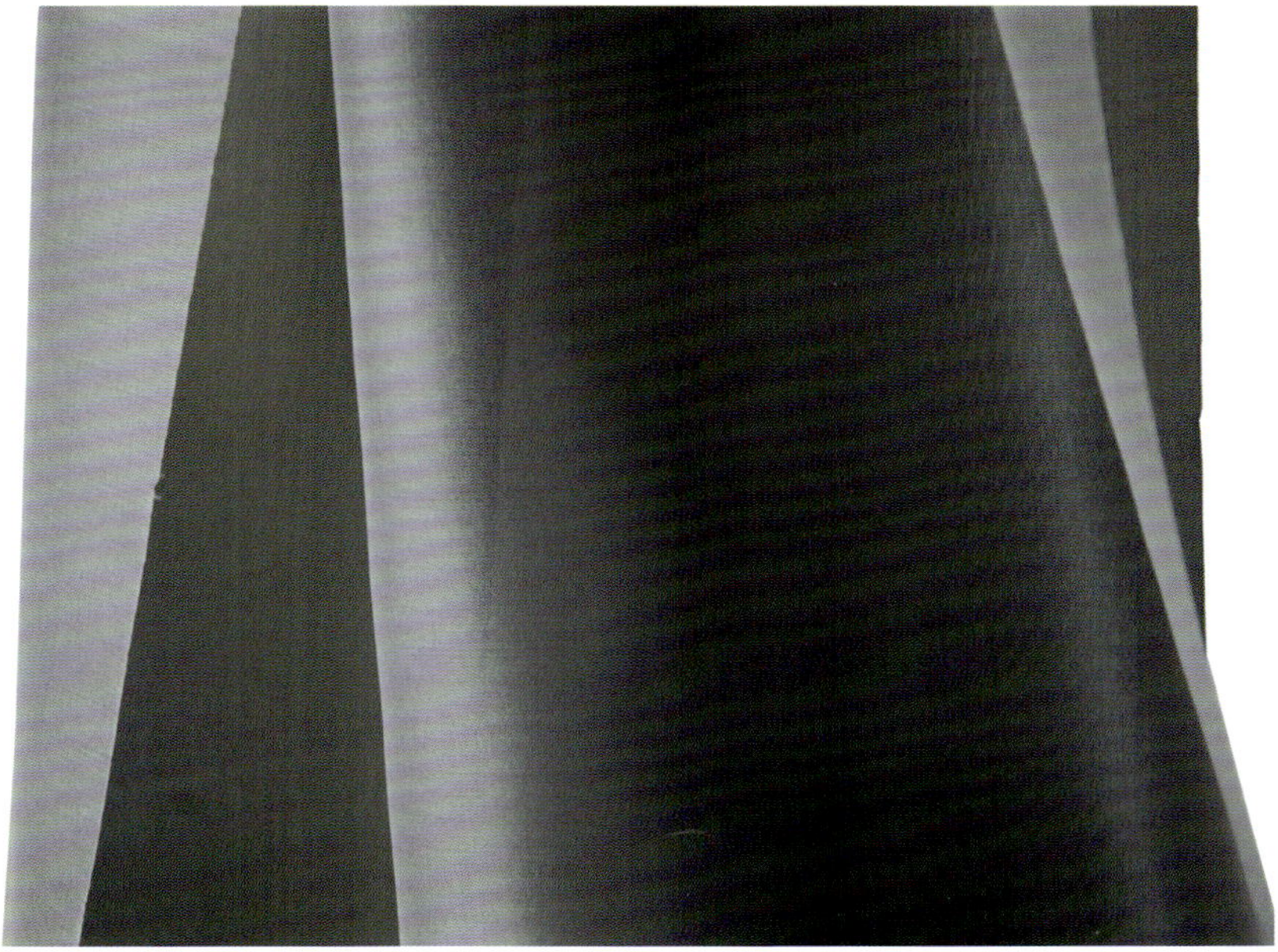

御法

みのり

「紫の上、いたうわづらひたまひし御ここちののち、いとあつしくなりたまひて」

女の厄年三十七歳のときの大病より健康がすぐれずにいた紫の上は、四十三歳になったこの年になって、いっそう衰弱が目立つようになってきた。紫の上は出家を願うが源氏は許さずにいた。

三月になって、紫の上がかねてより書写させていた法華経千部が完成し、二条院でその供養がおこなわれる。明石の上や花散里《はなちるさと》も参列していた。かつては複雑な思いを抱いていたが、いまはそれも氷解していくようであった。

鈍色の衣に託された源氏の思い

夏、紫の上はいよいよ衰弱し、紫の上が育てた明石中宮も御所を一時退出して二条院に見舞いに訪れるが、秋、萩の花の咲くころ紫の上は、ついに源氏に手をとられながらはかなくなってしまうのである。

源氏の悲しみ、嘆きは尋常ではない。葬送をおこない、野辺送りがすんでも「臥《ふ》しても起きても涙の干《ひ》る世なく、霧《き》りふたがりて明かし暮らしたまふ」、寝ても覚めても涙が乾くことはなく、目も霧がかかったように暮らしている。

今上帝《きんじょうてい》や致仕《ちじ》の大臣《おとど》（かつての頭の中将）からも次々と弔問が届く。

「『薄墨《うすずみ》』とのたまひしよりは、今すこしこまやかにてたてまつれり」

かつて正妻の葵の上（致仕の大臣の妹）が亡くなったときに、

「限りあれば薄墨衣《うすずみごろも》浅けれど
　涙ぞ袖をふちとなしける」

と詠んだときの薄墨より、さらに濃い色の鈍色《にびいろ》を源氏がまとっていると記されている。

葵の上の喪のさいより濃くというのが、どのくらいの濃さであったかは断定できないが、ここでは矢車《やしゃ》で染め、鉄で発色させて少し濃い鈍色にして源氏の悲しみをあらわしてみた。

【源氏の喪の衣裳】 濃鈍色三段（矢車）

御法

「薄墨《うすずみ》」とのたまひしよりは、今すこしこまやかにてたてまつれり。

幻

「乞《き》巧《こう》奠《でん》」の色彩を再現

幻

まぼろし

この帖では、紫の上が亡くなった翌年正月からの一年間のことが、歳時記風に綴られている。

紫の上亡きあとの源氏の一年間

正月。弟の兵部卿宮《ひょうぶきょうのみや》が訪れる。女房たちも「墨染《すみぞめ》の色こまやかにて着つつ」紫の上を偲んでいる。

二月。里帰りをしていた明石中宮が御所に帰るさい、三の宮（匂宮《におうのみや》）を源氏のなぐさめにのこしていく。三の宮が祖母のように思っていた紫の上の遺言を守って梅木を世話をするのを、源氏はうれしくみている。

三月。三の宮は満開の桜木のまわりに帳台を立てて桜の花が散らないようにしましょうと、子どもらしい提案をして、源氏の微笑をさそう。

四月。花散里《はなちるさと》から衣更《ころもがえ》の装束が届く。賀茂祭の日も引きこもっている。

五月。五月雨の夜に夕霧と語りあう。

六月。蓮《はす》が盛りと花開き、螢《ほたる》が飛び交うのをみて妻を恋う古歌を口ずさむ。

菊の被綿

七月。七夕の節句の宴はもう無縁のことで、翌暁、彦星と織女星が別れゆく朝の庭の露に私の涙を添えたいと歌を詠む。

八月。紫の上の一周忌で、生前ととのえていた曼荼《まんだ》羅《ら》を供養する。

九月。重陽《ちょうよう》の節句の長寿を願う菊の被綿《きせわた》に、ひとりのこされたあわれを嘆く。

十月、空をゆく雁《かり》の群れに、亡き紫の上の魂の行方をさがしてほしいと願う。

十一月。五節《ごせち》の大嘗会《だいじょうえ》、新嘗会《しんじょうえ》でまわりが浮き立っているころ、源氏は出家の意思を固め、歳末近く、のこしておいた紫の上の文を焼いてしまう。

そして十二月末。清涼殿の仏名会《ぶつみょうえ》に今年限りと参列する。十二月晦日《つごもり》の日、

「もの思ふと過ぐる月日も知らぬまに
　年もわが世もけふや尽きぬる」

物思いをして月日を過ぎるのもわからぬままに、今年も私の生涯も、今日で終わってしまうのだろうか――このように源氏は詠み、読者には源氏の出家を暗示して帖は閉じられる。

【七夕と重陽の節句】

この帖の色彩の再現は、色布で七夕飾りを、被綿で重陽の節句をあらわした。

平安時代になると、人日《じんじつ》（正月七日）、上巳《じょうし》（三月三日）、端《たん》午《ご》（五月五日）、七夕《しちせき》（七月七日）、重陽《ちょうよう》（九月九日）の五節句が宮中の重要行事とされた。

そのなかで七夕は、中国ではじまった乞巧奠《きこうでん》の行事が奈良時代より少し前に日本に伝わり、機織女《はたおりめ》の伝承と相まって人びとの間に浸透していった。

七夕の飾りは、本来中国の五行思想に基づいて、木＝青（蓼藍）、火＝赤（茜）、土＝黄（刈安）、金＝白（白絹）、水＝黒（矢車）の五色とする。

私は、この五色に最高位の色となった紫を紫根で染めて六彩とした。そして織物や裁縫の技術の上達を願う節句飾りらしく糸綛《いとかせ》を前においてみた。

重陽の節句は菊の花の宴ともいい、宮中では華やかな宴が催され、菊酒を飲んで長寿を願う。

節句の前日に、菊に露がおりて花の色と香りが逃げてしまわないように、蚕の繭《まゆ》からつくった真綿を菊の色と同じように黄、赤、白と染めて、花の上から平たくかぶせて覆った。

この菊の花の香りが移った真綿で顔をぬぐい、身体にあてると老いがふせげたという。

いずれも平安王朝の優雅な催しである。

匂宮

におうのみや

「匂宮（「匂兵部卿《におうひょうぶきょう》」とも）」では、源氏亡きあとの一族の話がつづられる。

じつは、「幻」と「匂宮」の間に、「雲隠《くもがくれ》」という題名だけで本文のない帖がおかれている。「幻」の帖をうけて、読者はその空白に、源氏の出家や逝去を想像することになるのである。

「幻」から「匂宮」まで約八年間が経っており、この間に源氏をはじめ、女三の宮の父の朱雀院《すざくいん》、異母弟の兵部卿宮《ひょうぶきょうのみや》、親友だった致仕《ちじ》の太政大臣（かつての頭の中将）、玉鬘《たまかずら》の夫の髭黒《ひげくろ》太政大臣なども亡くなっている。

次代の主人公匂宮と薫の登場

六条院で暮らしていた源氏の女君のなかでも、息子の夕霧の母代わりでもあった花散里《はなちるさと》は、二条院の東の院に移り住んでいる。女三の宮は、父院から贈られた三条の宮に住む。今上帝《きんじょうてい》の后である明石中宮は、里帰り先である六条院から人がいなくなっていくのを嘆いていたが、夕霧が「自分が生きている間は、この六条院を荒らすことはしない」と、柏木《かしわぎ》の未亡人であった落葉宮《おちばのみや》（「夕霧」参照）をかつて花散里が住んでいた東北の夏の庭に迎えている。

この帖では、特記すべき色彩の描写がないため、物語の流れのみを追っていきたいと思う。

「光《ひかり》かくれたまひにしのち、かの御影《かげ》に立ちつぎたまふべき人、そこらの御末々《すゑずゑ》にありがたかりけり」

源氏が亡くなったのち、源氏を越えるような方は、たくさんいる子孫のなかにもそうはいないようである、とこの帖ははじまる。

しかし子や孫のなかでも、

「当帝《たうだい》の三の宮、その同じ御殿《おとど》にて生《お》ひ出でたまひし宮の若君《わかぎみ》と、この二所《ふたところ》なむ」

今上帝の三の宮、つまり明石中宮が生んだ皇子（匂宮＝源氏の孫）と、同じ六条院で生まれた源氏の正妻女三の宮の若君が美しいと評判であった。

表向きは源氏の息子である若君は、じつは柏木と女三の宮の不義の子で、自分の出生の秘密にうすうす気がついている。この若君は生まれたときから身体より芳香がただよっていたため、「薫《かおる》の君」とよばれている。

三の宮は薫に張りあって薫物《たきもの》に凝っていつも衣服にたきしめており、「匂宮」ともてはやされている。その凝りぶりは、「朝夕《あさゆふ》のことわざに合はせいとなみ」とあるように、朝夕のつとめとして調合に精を出しているほどであった。

夕霧の思惑

薫は、源氏の配慮によって冷泉院《れいぜいいん》の猶子《ゆうし》となっている。

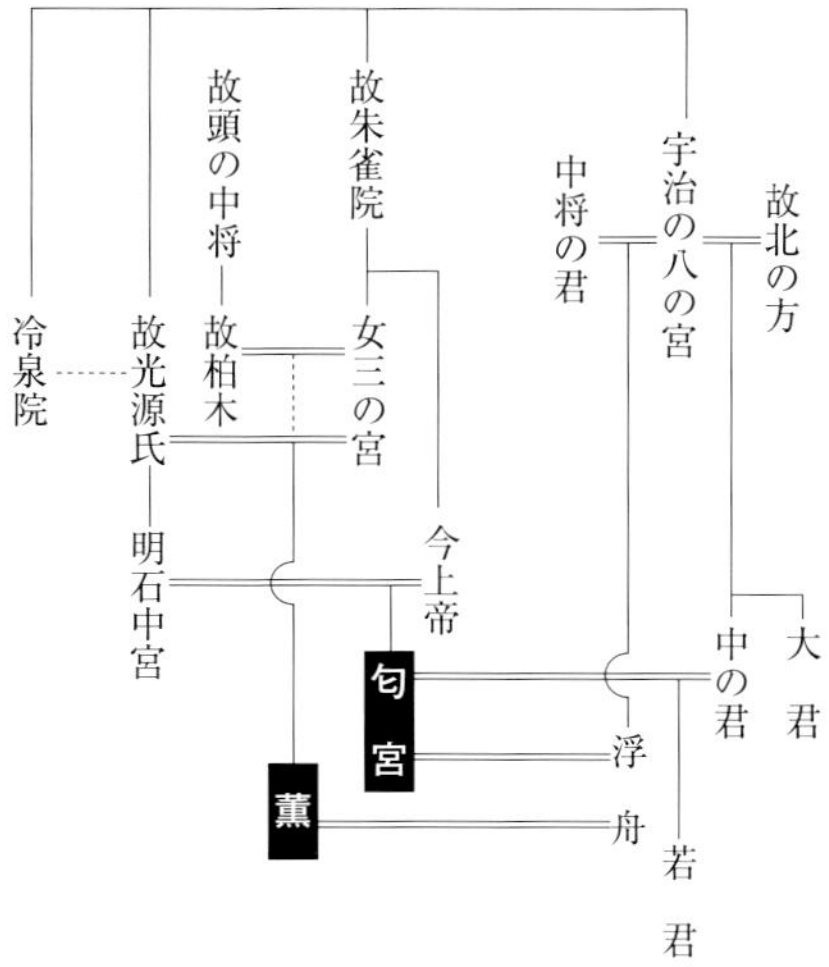

子どものいない秋好中宮《あきこのむ》（源氏の養女）にも愛されて、十四歳で元服、その秋には右近中将（従四位下）に、十九歳で、宰相兼右中将と、冷泉院の後見により順調に昇進している。
匂宮は、冷泉院の女一の宮（弘徽殿女御《こきでんのにょうご》との間の皇女）に思いをよせているが、薫はそんな身分が高い女性をめとると、なにかと面倒な思いをしなくてはならないから、自分は乗り気にはなれないと思っている。
ところで夕霧は、北の方の雲居雁《くもいのかり》との間に四男三女をもうけたが、長女は匂宮の兄である東宮（一の宮）妃となり、次女は二の宮（次の東宮）に嫁いでいる。また妃の藤典侍《とうないしのすけ》（源氏の侍従惟光《これみつ》の娘）との間には、二男三女をもうけている。その典侍との六の君が美しいとの評判なので、夕霧は身分を考えて落葉宮の養女にして、いずれは匂宮か薫を婿にむかえたいと思っている。
このように「匂宮」の帖では、源氏亡きあとの登場人物たちの消息と、新たな物語をつくっていく若き主人公たちを知る機会となっている。

紅梅

こうばい

故致仕《ちじ》の太政大臣（頭の中将）の次男按察使《あぜち》大納言は、北の方が亡くなったあと、源氏の異母弟兵部卿宮《ひょうぶきょうのみや》の未亡人真木柱《まきばしら》（故髭黒《ひげくろ》太政大臣の前妻との娘「真木柱」参照）のもとに通い、いまは北の方としていた。真木柱には宮の御方という連れ子がいる。

按察使大納言は、故北の方との長女大君《おおいきみ》は東宮妃にしたので、次女の中の君を匂宮と結婚させたいと思っている。

大納言は、美しく花咲いた紅梅の枝を折り、「紅《くれなゐ》の紙に若やぎ書きて、この君の懐紙《ふところがみ》に取りまぜ、押したたみて出だしたてたまふ」

歌を紅梅の色に染めた和紙に華やかに書いて梅をつけて、真木柱との間にできた若君に持たせて匂宮に届けさせた。

しかしどうも匂宮は乗り気ではない。匂宮は、琵琶が巧みで、万事控えめな宮の御方に惹かれているからであった。

【紅白梅の襲】 紅花と白平絹

ここでは「紅白梅の襲」を再現してみた。この襲は「表紅梅　裏蘇芳」と古い典籍に記されているが、ここでは、紅花だけを使って幾日もかけて染色し、紅染の濃淡で、少しずつ変化をつけ、紅梅色の暈繝《うんげん》とした。さらに白梅もとりあわせ、紅梅白梅の遅速をあらわした。

左の紅を白磁の皿に塗った紅皿は、紅花の色素を沈殿させたもので、口紅や頬紅といった化粧品に使われるとともに、和紙に塗って染和紙にもする。黒味のある濃い紅色であるが、光線の具合で金色に輝くため、私はこれをとくに「艶紅《ひかりべに》」とよんでいる。

紅梅

竹河

桜の細長《ほそなが》、山吹などの、をりにあひたる色あひの、なつかしきほど
に重なりたる裾《すそ》まで、愛敬《あいぎやう》のこぼれおちたるやうに見ゆる

竹河

たけかわ

この帖は、髭黒《ひげくろ》太政大臣亡きあとの玉鬘《たまかずら》一家の様子が、仕えていた女房によって語られる。

玉鬘は二人の姫君のうち上の大君《おおいきみ》を入内させるか悩んでいた。

玉鬘を忘れられずにいる冷泉院《れいぜんいん》、それに夕霧の息子蔵人少将《くろうどのしょうしょう》も大君を望んでいる。

春三月、蔵人少将は、友人である玉鬘の三男藤侍従《とうじじゅう》を訪ねて玉鬘の邸へいく。

姫君たちは、坪庭の桜がどちらのものかを賭けて碁を打っている。

国宝源氏物語絵巻にあらわされた女君たちの色

大君は十八、九歳である。

「姫君は、いとあざやかに気高《け》う、今めかしきさましたまひて」

と、大君は華やかな顔立ちで気品があり、堂々としていると描写されている。

妹姫の中《なか》の君《きみ》は、

【山吹の襲】 白（平絹）・薄朽葉（刈安）・黄（支子）

山吹の襲は、「若紫」の帖で、少女の紫の上の「白き衣、山吹などのなれたる」衣裳を再現したが、ここでは大君の衣裳の袖の重なりをみていただくことにした。山吹の襲は「表薄朽葉　裏黄」であらわすとあるので、刈安の少し緑がかった黄色と支子《くちなし》の赤味がかった黄色で染め、白を上に重ねてみた。

【薄紅梅の襲】 白（平絹）・淡紅（紅花）・淡蘇芳（蘇芳）

紅梅の襲は、「表紅花　裏蘇芳」であらわす。同じ赤でも、蘇芳は少し青味がかった赤である。紅梅が咲く季節は、ともすると雪が舞うこともある。この薄紅梅の襲は、白を重ねて花が雪をかぶっている風景を染めてみた。

国宝「源氏物語絵巻　竹河二」（徳川美術館蔵）

「御髪《ぐし》、色にて、柳の糸のやうにたをたをと見ゆ。いとそびやかになまめかしう、澄みたるさまして」

と、つやつやとした髪が柳の糸の緑のようにみえ、上背があって優雅でしっとりした物腰の娘に成長している。

しかし華やかさに関しては、大君はかなわないと女房たちは思っているのであった。

このとき、大君は、

「桜の細長《ほそなが》、山吹などの、をりにあひたる色あひ」

を、中の君は、「薄紅梅」色の細長をまとっていると書かれている。

図版では、この山吹と薄紅梅を姫君たちの衣裳の袖の重

なりを想定して再現してみた。

この美しい場面は、徳川美術館所蔵の国宝「源氏物語絵巻　竹河二」にみることができる。

ただ、絵巻では大君（奥左から三人目）はさまざまな色の衣を重ね、中の君（奥左から二人目）は白地に梅鉢文様の衣裳を着用している。

蔵人少将は、廊下の戸から大君の姿を垣間みて、ますます恋慕するのだが、こののちの物語で、玉鬘は大君を冷泉院にさしあげることになって、蔵人少将は悲恋に終わるのであった。

橋姫　はしひめ

「橋姫」の帖から、宇治《うじ》を舞台とした「宇治十帖」である。

洛南宇治の地は、琵琶湖より山間をぬって流れくる宇治川が里に出るところで、古代より大和《やまと》と近江《おうみ》を結ぶ交通の要衝であった。都が京都に遷《うつ》ってからは、宇治には貴族の別業（別荘）が営まれるようになった。

宇治の八の宮と二人の娘

「そのころ、世にかずまへられたまはぬ古宮《ふるみや》おはしけり」

世間からは忘れられたような宮がおられた、という一行から物語ははじまる。

かつて源氏が政争に巻きこまれて、須磨での隠棲を余儀なくされていたおりに、東宮であった冷泉帝の代わりに源氏の異母弟である八の宮を立太子することが企てられたことがあった。しかし、源氏の政界への復帰後、八の宮は不遇となり、中央の政界からは身を引いた状況となっていた。

老いた八の宮には、娘二人（大君《おおいきみ》と中の君）がいるが、北の方は中の君を出産したあとに亡くなっている。さらに都の邸が焼失し、宇治に移り住みわびしい生活をおくっていた。八の宮は仏門に帰依《きえ》していたが、出家はせず、「俗聖」と称し、天台宗の阿闍梨《あじゃり》に心酔して師とあおいでいる。

その阿闍梨は冷泉院からも招きをうけるような高僧でもあったので、冷泉院やそばで仕える薫《かおる》たちには、八の宮の人となりが阿闍梨を通じて知られており、薫は八の宮に興味を抱いて宇治へ通うことになる。

二人の姫を垣間みる薫

薫が八の宮の人柄に傾倒してから三年目の秋のこと

【中の君の朽葉の襲】 右より朽葉（刈安×茜）・黄朽葉（刈安×茜）・黄橡（橡）

中の君の衣裳は、黄色へと変わる朽葉の襲をあらわした。刈安にわずかに茜をかけて、黄色くなった葉がわずかに赤茶色に色づいた朽葉色を、同じく刈安に茜を少しかけて、黄葉をあらわす黄朽葉《きくちば》色を表現した。黄橡《きつるばみ》色の橡はクヌギ、つまり団栗《どんぐり》のことで、黄橡色は、団栗の実の煎汁に椿の灰汁で媒染した黄褐色をいう。

橋姫

国宝「源氏物語絵巻　橋姫」（徳川美術館蔵）

である。八の宮は近くの山にある阿闍梨の住む寺の堂にこもって修行をしているときであった。薫は思い立って宇治へむかうことにする。

八の宮邸の近くにくると、川の流れの音とともに、なにやら楽器を奏する音色が聞こえてきた。邸内に入ると、琵琶の響き、そして琴の音も聞こえてくる。

その音色に聞き惚れていた薫が大君、中の君がいる部屋に通じている竹の透垣《すかしがき》の戸を開けてなかをのぞくと、月光が射して、簾《すだれ》をあげていたためなかにいる人びとの姿が垣間みえた。

中の君は、「内《うち》なる人一人《ひとり》、柱に少しゐ隠れて、琵琶を前

に置きて、撥《ばち》を手まさぐりにしつつゐたるに」と、琵琶を奏している。大君は、「添ひ臥したる人は、琴《こと》の上に傾《かたぶ》きかかりて」と、畳に肘をついて体を横たえるようにして箏《そう》の琴を奏でている。

この場面は国宝「源氏物語絵巻　橋姫」（徳川美術館所蔵）に描かれており、よく知られているところである。

薫がのぞく竹の透垣には色づいた蔦《つた》の葉が、赤、黄、そしてわずかな緑をのこしている。

まさしく秋がいちだんと深まっていくころである。

奥の大君は紅葉の襲、右の中の君は朽葉色の襲、もう一人、手前の青緑系の衣裳を着た女房を菊の襲というように、私は想像したのである。

　そののち、この家に仕えている亡柏木《かしわぎ》の乳母子《めのとご》であった老女弁《べん》から、薫の出生の秘密を記した手紙の束を渡されることになる。

　薫は八の宮への尊敬の念と宇治への訪れが、自分の運命と大きなかかわりがあることを知るのである。

【大君の紅葉の襲】右より、茜二段・刈安
　大君は、紅葉襲を着ていると想定した。紅葉襲は、「表赤　裏濃赤」「表黄　裏赤」などと表現されるが、ここでは、茜で真っ赤な紅葉を、そこから順に赤味を落とし、黄葉への変化をあらわした。

【女房の菊の襲】 右より蓼藍×黄蘗・黄蘗・安石榴・白平絹

女房二人のうち緑がかった衣裳を菊の襲と想定した。黄菊の花を黄蘗《きはだ》と安石榴《ざくろ》で、白菊を白絹で、葉の緑を蓼藍と黄蘗であらわした。

椎本 しいがもと

匂宮《におうのみや》は奈良の初瀬詣《はせもうで》の帰りに、叔父夕霧の宇治の別荘へ立ち寄り、薫《かおる》たちもやってきて宴が開かれた。夕霧の別荘のモデルは、のちに平等院《びょうどういん》となる藤原道長《みちなが》、頼通《よりみち》父子の別荘「宇治殿」で、宇治川の西岸に建っていたと伝わっている。

大君と中の君の後見となる薫

対岸の自邸で、宴の楽奏を聞いた八の宮は、薫が奏するひときわ秀でた笛の音を聞き、笛の名手であったかつての頭の中将のことを思い浮かべる。そしていま笛を吹いているのは源氏の子どもではなく、柏木《かしわぎ》（頭の中将の子）の嫡男だと思い当たる。

翌朝、八の宮から薫に文が届けられる。返礼は匂宮がしたためようという。薫たち一行は、さっそく八の宮の山荘へ向かう。そのおりに匂宮が中の君へ文を贈ったことがきっかけとなって、文の交換がはじまる。

秋のはじまりのころに、死期をさとった八の宮は、娘たちの後見を薫に懇願し、八月二十日すぎに亡くなった。

薫はその後たびたび宇治を訪れ、中の君には匂宮との結婚をすすめ、自分は大君《おおいきみ》と結ばれることを願っていることを示唆するが、大君にとりあわれない。

夏になって薫は八の宮邸を訪れる。宿直人《とのいびと》に誘われて入ると、仏間にいた姫君たちが、客人の目にふれないよう自分たちの部屋に移るというところの姿を、薫が垣間みた。

中の君は、「濃き鈍色《にびいろ》の単《ひとへ》に萱草《くわんざう》の袴《はかま》のもてはやしたる」という姿、大君は、「黒き袷一襲《あはせひとかさね》、同じやうなる色あひを着たまへれど、……紫の紙に書きたる経《きやう》を、片手に持ちたまへる」である。

亡き父の喪に服しているのであろう。中の君は濃い鈍色の単に、萱草《かんぞう》色の袴をつけて、大君は黒い袷を着ていて、紫の紙に書いた経をもっている。紫紙金泥経であると思われる。

【中の君の衣裳】 鈍色の単（矢車）・萱草の袴（茜×支子）

萱草は百合の仲間で、黄と赤の中間のような色合いである。ここでは矢車で染めた濃い鈍色に茜と支子《くちなし》をかけて染めた萱草色の中の君の衣裳を再現した。

椎本

濃き鈍色《にびいろ》の単《ひとへ》に萱草《くわんざう》の袴《はかま》のもてはやしたる、なかなかさまかはりてはなやかなりと見ゆるは、着なしたまへる人からなめり。

総角

あげまき

この帖は、「総角」という題名そのものが、染織にかかわるものになっている。総角とは、組紐の結び方のことで、左の図版にいくつかの例をあげた。もともとは、少年の頭髪を左右に分け、頭上に巻き上げ輪をつくって結った髪型のことをいい、その形に似ていることから名がついた。題名は、薫が大君《おおいきみ》に、

「あげまきに長き契りをむすびこめ
　　おなじ所によりもあはなむ」

総角のように長い契りを結び、ひとつの所に結びあわされたいものです、と詠んだ歌にちなむ。

薫の愛を拒む大君

物語は、八の宮の一周忌が近く、宇治の大君、中の君は女房たちに「（阿闍利の）法服《ほふぶく》のこと、経の飾り、こまかなる御あつかひ」を教えてもらいながら用意しているところからはじまる。「経の飾り」とは、仏前で焚く香を供えた机の四隅に結んでたらす糸と「新潮日本古典集成」の頭注にあるが、私は経典の表紙についている巻紐や、巻物の経典を何巻かまとめて包む経帙《きょうちつ》の紐などもさしていると考えている。

薫は二十四歳、さきの歌のように大君と結ばれたい

【たたり】

八の宮の一周忌の準備に薫が宇治の邸を訪れたときの文中に、「（糸を）結びあげたるたたり」という一文がでてくる。「たたり」とは、糸繰《く》り台のことである。

右の写真は私の工房で使っている「たたり」である。糸を染めたあと、この「たたり」に細い糸をかけて糸繰りし、枠に巻きとるのである。

総角

と思っているが、大君自身は薫との結婚を望まず、中の君を代わりにしようとする。しかし薫は中の君と契ることなく朝を迎える。

中の君と結ばれる匂宮

薫は中の君に執心の匂宮を宇治にともなってゆく。匂宮と中の君は結ばれて、三日も通うことになるが、大君は薫を拒否したままである。

しかし匂宮は将来の東宮という身分であるため、今上帝や明石中宮をはじめとしてまわりの反対もあって宇治通いはとだえてしまい、大君はおおいに失望する。十月の紅葉狩のときに匂宮は宇治に訪れるが、大勢の臣下が見守るなか、中の君には近づけず、無視されたような形になった大君は落胆し、さらに匂宮と右大臣（夕霧）の姫六の君（落葉宮《おちばのみや》の養女）との結婚の噂を聞いて、中の君が慰みものにされたと、失望のあまり病んでしまう。そして、大君は薫にみとられて亡くなってしまうのだった。

ひとりになった中の君は、けっきょく明石中宮の配慮により、匂宮が都へ引き取ることとなる。

早蕨

早蕨

さわらび

新春をむかえた。昨年秋に姉大君《おおいきみ》を亡くし、悲しみと将来への不安を抱えている中の君であるが、そんなおり、父八の宮と親交のあつかった宇治山の阿闍利《あじゃり》から蕨《わらび》や土筆《つくし》が届けられた。

「君にとてあまたの春を摘《つ》みしかば
　常をわすれぬ初蕨《はつわらび》なり」

亡き八の宮には長年春に蕨など山で採れたものを献上しておりましたので、いつもの年のとおりに初蕨を送りました、と悪筆なのだが、たいそう誠意の感じられる歌が記されている。匂宮から受け取った美しい文《ふみ》よりもずっとすばらしく、ありがたいと中の君は感動する。

匂宮は、中の君に対する恋慕の情や誠意はあるのだが、次期の東宮に予定されている立場上、自ら宇治へいって中の君を都へ移すことができないでいる。

中の君を都へ迎える決意をする匂宮

正月二十一日から二十三日の子《ね》の日に催された帝の私的な宴である内宴も終わったころ、薫は匂宮を訪れた。風雨が強くなり、まだまだ寒い冬の夜、薫は大君の思い出を語る。そのときに、匂宮は中の君を都に迎えることを相談し、薫は移転を万事整えることを約束するのだった。

「きさらぎ（二月）の朔日《ついたち》ごろ」都への移転の日が近づいてきた。中の君は昨年十一月に亡くなった大君の除服《じょふく》（喪が明けること）をする。姉の場合は、三カ月、鈍色《にびいろ》の衣を着て喪に服していたのである。

薫から車など引っ越しのための品々や従者が送られてきた。そして移転の前日、薫自身が宇治を訪れる。都へ移ることができると女房たちは浮かれながら出立の準備にいそしんでいるが、中の君は、薫と大君の思

【淡鈍の几帳】 矢車

絵巻の四人の女房と中の君を隔てる無地に黒い野筋の入った几帳を再現した。無地の色は、どのような彩りか想像するほかはないが、喪が明けたばかりで、宇治にのこる弁《べん》が尼になっているということもあって、矢車《やしゃ》で淡鈍《うすにび》色に染めてみた。

几帳の手前には、都への引っ越しの用意をしている様子を想像して、中の君の衣裳にみたてた桜、杜若《かきつばた》の襲（袖）や色とりどりの反物をおいた。

い出にひたるのであった。

薫の出生の秘密を知る弁《べん》の君（柏木の乳母の娘）は、大君が亡くなったことで出家して尼になっている。薫は弁の尼とも大君の思い出をしみじみと語るのであった。

平安後期の神社建築をのこす宇治上神社（岡田克敏）

そして、中の君は、都での生活に不安をもっているので、将来この邸に戻ることもあるかもしれないと、弁の尼にこの八の宮邸にとどまるように頼むのであった。

喪中の調度品

図版の几帳《きちょう》は、この場面を描いた国宝「源氏物語絵巻　早蕨」（徳川美術館蔵）を参考に再現した。絵巻には、二つの几帳をはさんで、いちばん奥に中の君、少し文様が入った几帳を間に置いて弁の尼が座り、手前に無地で黒い野筋《のすじ》（帳の一幅ごとに垂らされる紐）がついた几帳があって、その前に四人の女房が描かれている。


翌二月七日、中の君は薫が紫の上から譲られた二条院の西の対に引き取られ、待っていた匂宮と新しい生活に入るのであった。

夕霧は、娘の六の君を匂宮に、と思っていただけにこの事態に不満をもっている。薫にも六の君のことを打診するが、拒絶されてしまう。

火事で焼けた三条の邸が新築され、そこから薫は二条院の西の対の桜が満開のころに中の君を訪れる。

宿木
濃き袿《うちき》に、撫子《なでしこ》とおぼしき細長《ほそなが》、若苗色《わかなへいろ》の小袿《こうちき》着たり。

宿木

やどりぎ

薫は、亡き大君を思いながらも、今上帝より許された女二の宮との結婚を受けることになる。この宮の母藤壺女御は、宮が十四歳になり、裳《も》着《ぎ》の儀（成人式）の準備のさなか物《もの》の怪《け》で亡くなっており、帝も後見を心配していた方である。

このことを聞いた夕霧は、六の君を薫に嫁がせることを諦め、匂宮にと専心する。明石中宮の説得もあってついに匂宮は六の君と結婚を決意する。懐妊してい

撫子の細長（紅花）

若苗色の小袿（蓼藍生葉×刈安）

【浮舟の衣裳】 左より濃き袿（紅花）・撫子の細長（紅花）・若苗色の小袿（蓼藍生葉×刈安）

袿の「濃き」は、通常は「濃き」のあとに「紫」が略されているので、紫根染とするのだが、「新潮日本古典集成」の頭注には、「濃い紅であろう」と記されていたので、今回はこの頭注に沿って浮舟の衣裳を再現した。確かに浮舟の身分（常陸介の義娘）で、高貴で高価な紫根染の衣裳をまとっていることに、少し無理があるようにも思えたからである。

秋の花である撫子も四月という季節にはあわないが、「おぼしき」とあるので、撫子そのものではなかったようだ。これは紅花で淡く表現した。若苗色は、まさしく季節にあった彩りである。刈安で黄色を染めてから、蓼藍の生葉をかけて若苗をあらわした。

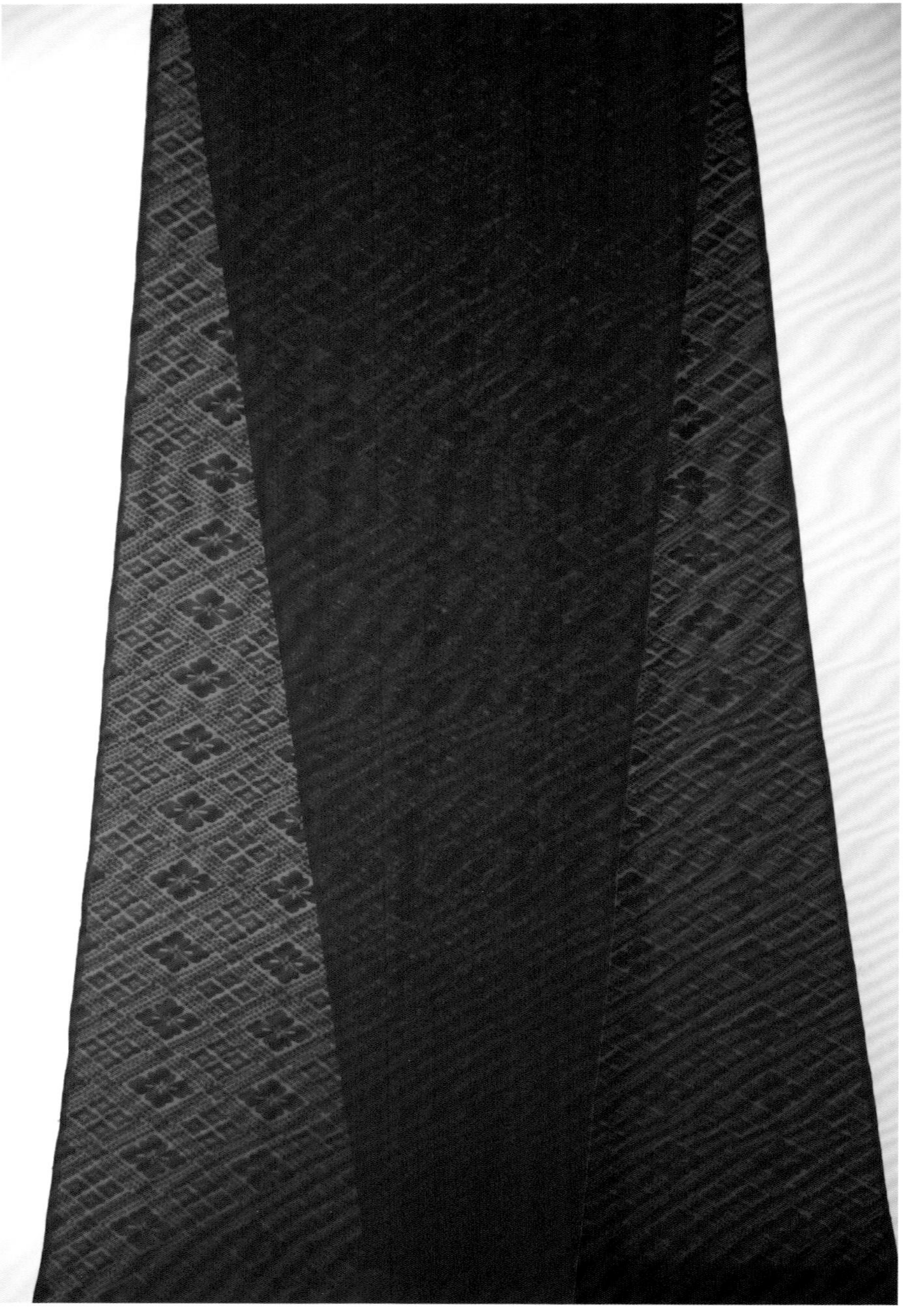

濃き袿（紅花）

る中の君の不安は強い。

薫は中の君を匂宮と結びつけたことを悔やむが、ことの運びはどうしようもなく、匂宮と六の君は無事三日の夜の儀を終えて夫婦となった。

薫の悔恨

中の君を慰めようと、薫は二条院をたびたび訪れるようになる。薫は自らが積極的に中の君に近づかなかったと、過ぎたことのくやしさを取り戻したいと思う。そうした気持ちの揺らぎのなかで、薫はとうとう中の君がいる御簾《みす》のなかに入って添い臥すが、中の君が懐妊していることを知って思いとどまるのであった。

薫は中の君に、宇治に大君を偲ぶ御堂を建てたいと語るなかで、中の君は浮舟《うきふね》という異母妹がいることを打ち明けるのであった。

その秋に薫は宇治の弁《べん》の尼を訪ね、弁は異母妹のことを薫に語る。故八の宮がたわむれに契った中将の君という女房が生んだ子どもだが、八の宮の関心は続かず、中将の君は陸奥守《みちのくのかみ》に嫁ぎ、さらに常陸《ひたち》へ移って、娘はいまは二十歳くらいになっているはずだという。

年が明け、中の君は男子を出産、そして二月二十日すぎに女二の宮が裳着の儀を終えて、薫と結婚する。

大君に生き写しの浮舟

四月二十日をすぎたころのことである。賀茂祭でさわがしい都を離れ、薫は宇治の阿闍利《あじゃり》の寺の境内に建立中の御堂をみにいった。帰りに弁の尼にも挨拶をしておこうと邸に立ち寄ると、常陸介《ひたちのかみ》の姫君一行が初瀬《はせ》詣《もうで》から戻ってきたところに行き会い、姫君を垣間みたのであった。

「頭《かしら》つき様体《やうだい》細やかにあてなるほどは、いとよくもの思ひ出でられぬべし」（頭のかたちや姿がほっそりとして上品な様子は、亡き大君が思い出されるようだ）

この大君に生き写しのような姫君が、異母妹「浮舟」であった。浮舟は、

「濃《こ》き袿《うちき》に、撫子《なでしこ》とおぼしき細長《ほそなが》、若苗色《わかなへいろ》の小袿《こうちき》着たり」

という衣裳をまとっていた。

薫は胸をときめかせ、弁の尼を通じて、浮舟に対面したいむねを伝えさせるのであった。

東屋

帷《かたびら》一重《ひとへ》をうちかけて、紫苑《しをん》色のはなやかなるに、女郎花《をみなへし》の織物《おりもの》と見ゆる重なりて、袖口さし出でたり。屏風の一枚《ひとひら》たたまれたるより、心にもあらで見ゆるなめり。

東屋

あずまや

浮舟の継父である常陸介《ひたちのかみ》は、先妻との間の子どものほか浮舟の母中将の君との間にも五、六人の子どもをもうけているが、浮舟をほかの子どもたちと分け隔てしているのが中将の君にははがゆい。

常陸介は地方暮らしの間に財をたくわえ、それを目当ての求婚者も多い。そのなかで、中将の君は左近の少将を浮舟と結婚させたいと思うのだが、浮舟が常陸介の実子でないことを知って、少将は浮舟の異父妹との縁談を望むのであった。

二条院の中の君を訪ねる浮舟

中将の君は浮舟を不憫《ふびん》に思い、中の君に文《ふみ》を書き、二条院で預かってもらうよう願い出る。薫が二条院を訪れ、中の君は浮舟を薫に推薦する。中将の君も薫を垣間みて、浮舟との縁組みを望むようになる。母はいったん退出したが、浮舟は西の対《たい》にのこっていた。

そして次の日の夕方、中の君を訪れた匂宮は、西の部屋のほうに見馴れない女の姿をみつける。

「障子《さうじ》のあなたに、一尺ばかりひきさけて、屏風《びやうぶ》立てたり。そのつまに、几帳《きちやう》、簾《す》に添へて立てたり。帷一《かたびらひと》重《へ》をうちかけて、紫苑《しをん》色のはなやかなるに、女郎花《をみなへし》の織物《おりもの》と見ゆる重なりて、袖口さし出でたり」

匂宮がのぞくと、障子のむこうに少し離して屏風が立っている。その端に几帳を簾《すだれ》に添えて立てたり、几帳の帷を一枚横木にかけて、華やかな紫苑色の袿《うちき》に、女郎花の織物と思われる表着《うわぎ》が重なって、袖口が差し出ている。それは浮舟であった。

匂宮は浮舟をみて惹かれて強引に近づくのだが、明石中宮が病気になられたとの知らせが入り、浮舟はようやく匂宮の手から脱出できた。これでは安心できないと、母君は浮舟を三条の小さな住まいに移す。薫は弁の尼からこのことを聞き、その仲立ちでようやく三条の家で浮舟と逢うことができたのである。

翌朝、薫は浮舟を宇治の山荘へ連れ出していった。

【浮舟の衣裳】 紫苑（紫根）・女郎花の織物（経糸 蓼藍×緯糸 刈安）

匂宮が二条院の西の対で浮舟を偶然みつけた場面を再現した。ときは「こなたの廊《らう》の中《なか》の壺前栽《つぼせんざい》の、いとをかしう色々↙

に咲き乱れたるに」と、庭の植込に咲く秋草が色とりどりに美しく咲いているころである。

浮舟は秋草のころにあった紫苑と女郎花の衣裳を重ねている。紫苑は紫根で染め、女郎花の織物は、蓼藍で染めた経糸《たて》に刈安で染めた緯糸《よこ》を打ちこんで織りあげた。みる角度や光の加減でさまざまな色相に変化する不思議な織物である。

浮舟《うきふね》

浮舟を宇治に移した薫であるが、正妻女二の宮への遠慮もあり、頻繁に宇治を訪れることができない。

いっぽう浮舟を忘れられずにいた匂宮は、浮舟から中の君に届けられた新年の挨拶の文《ふみ》から宇治にいることがわかり、八方手を尽くして居場所をつきとめることができた。宇治の山荘へ赴いた匂宮は薫と偽って部屋のなかへ入り、浮舟と契ってしまう。途中で薫ではないと気がついた浮舟であったが、どうしようもなく、薫のこと、匂宮の身分の高さや、よくしてくれた中の君への不義理を思うとただ泣くばかりだったが、その反面、匂宮の一途さにも惹かれていく。

浮舟を連れ出す匂宮

薫はそんなことがあったとはつゆ知らず、少し逢わない間に浮舟の物思いに沈むおとなびた様子をいとおしく思っている。

「雪にはかに降り乱れ、風などはげしければ」という天候の日、薫たちは匂宮の宿直所に参集した。そこで薫の浮舟を思う気持ちの深さにふれた匂宮は、いてもたってもいられなくなって、「雪のいと高う積りたる」翌朝、宇治へ向かった。このような天候のときによく宇治を訪れてくださったと、浮舟の感慨は深い。一夜を過ごした匂宮は浮舟と別れがたく、「有明《ありあけ》の月澄みのぼりて、水の面《おもて》も曇《くも》りなき」早暁、宇治川の対岸にある供の時方《ときかた》の叔父の荘園の小さな家へ、小舟に乗って浮舟を連れ出す。

「なつかしきほどなる白き限りを五つばかり、袖口裾《すそ》のほどまでなまめかしく、色々にあまた重ねたらむよりも、をかしう着なしたり」

翌朝、浮舟は上衣を脱いで、着慣れてやわらかくなった白い衣《きぬ》を五枚ほど着ている。それが色を重ねた袿姿よりも優美であるという。「氷雪の襲《かさね》」であろう。

その後、薫が匂宮と浮舟のことを知ることになり、ふたりの間で悩み抜いた浮舟は、入水を決意する。

【氷雪の襲】 生絹と練絹四種類

雪が舞う冬の寒さのなか、浮舟は積もった雪にまぎれてしまうような白い衣をまとう。王朝時代の貴人の感性を知ることができる襲である。

浮舟

なつかしきほどなる白き限りを五つばかり、袖口裾《すそ》のほどまでなまめかしく、色々にあまた重ねたらむよりも、をかしう着なしたり。

蜻蛉

丁字《ちやうじ》に深く染めたる薄物《うすもの》の単《ひとへ》を、こまやかなる直衣《なほし》に着たまへる、いとこのましげなり。

蜻蛉

かげろう

朝早くから浮舟の姿がみあたらず、宇治の山荘では大騒ぎになっている。結局女房の右近が母君への文を読んで浮舟が入水の決意をしたことがわかるのであった。駆けつけた母君をはじめ嘆き悲しむ人びとだが、風聞を怖れて遺骸もないまま葬儀を終えてしまう。

そのとき薫は母女三の宮の病気平癒祈願のため石山寺に参籠していて、すぐに駆けつけることができなかった。浮舟が入水したことを知って、大君《おおいきみ》とのことも思い出して、はかない縁だと悲しみに沈む。いっぽう匂宮の嘆きも一様ではなく、二、三日は正気を失ったような状態であった。

薫は匂宮を見舞い、浮舟のことで皮肉をいう。しかし互いにどれほど強く浮舟を愛していたかということを知るのであった。

浮舟の四十九日法要

薫は宇治へいって、浮舟の女房右近を問いつめる。しかし右近は、匂宮から文はもらったことはあるが、それ以上のことはなかったと、抗弁するのであった。浮舟をかばうとともに、自らの失態を隠す右近だが、薫は女房の立場なら当然のことで、いたしかたがないであろう。むしろあまりはっきりした意思ももたず、頼りない人だったと、浮舟をあわれむ気持ちになっている。

薫は浮舟の四十九日の法要を盛大にとりしきった。

「蓮《はちす》の花の盛りに、御八講《はこう》せらる」と、その年の夏、明石中宮は、父源氏と養母であった紫の上の追善法要をを営んだ。法要が果てた五日目の朝、薫は中宮の娘である女一の宮（一品《いっぽん》の宮）を垣間みる。暑い日で氷室から運ばせた氷を割ろうとして女房たちが騒いでいる様子を、宮は微笑みながらみている。

その顔は、「言はむかたなくうつくしげなり」と、とてもうつくしいと薫は思う。薫の北の方の女二の宮は、

【匂宮の衣裳】 単（丁字）・直衣（蓼藍）

丁字は熱帯地方原産のフトモモ科の樹で、花の蕾《つぼみ》を乾燥させて染料や香辛料とする。古くからの輸入品であった。丁字で染めるとその独特の香りがただようため「香色《こういろ》」ともいう。薫物に凝る匂宮らしい出立ちである。

直衣は夏らしく濃縹《こきはなだ》色を蓼藍で染めてみた。

直衣（蓼藍）

今上帝の姫君だが、母は麗景殿《れいけいでん》（藤壺）女御である。薫は一品の宮と同じ装いを女二の宮にほどこしてみるが、とても同じようではないと密かに嘆息するのであった。

匂宮の憔悴と薫の慨嘆

翌朝、またもや明石中宮のところを訪れた薫は、姉である女一の宮のところに滞在していた匂宮と対面する。

単（丁字）

「丁字《ちやうじ》に深く染めたる薄物《うすもの》の単《ひとへ》を、こまやかなる直衣《なほし》に着たまへる、いとこのましげなり」

匂宮は、丁字で濃く染めた薄物の単の袿《うちき》を直衣の下に着ていて、たいへんよい趣味であると描かれている。

少しやつれてはいるようだが、男ながら姉の一品の宮と同じように美しいと薫は思うのであった。

物語は、薫と匂宮が徐々に浮舟喪失の痛手から立ち直りつつも、はかないものの象徴である蜻蛉《かげろう》にたとえて浮舟を追慕する薫の感慨で終わる。

手習

白き単《ひとへ》のいと情《なさけ》なくあざやぎたるに、袴《はかま》も檜《ひ》皮《はだ》色《いろ》にならひたるにや、光も見えず黒きを着せたてまつりたれば、

手習　てならい

比叡山延暦寺《ひえいざんえんりゃくじ》三塔のひとつ横川《よかわ》に、ある高僧（横川の僧都《そうず》）がいた。母も妹も出家しており、その母尼が初瀬詣《はせもうで》の帰りに病になったため、宇治の院に滞在することになり、そこに僧都も向かうことになる。その院の古い巨木の下で正体を失った若い女性が発見された。この女性が、入水して死んだとされた浮舟《うきふね》で、妹尼は、亡くなった娘が帰ってきたようだと浮舟を懸命に介抱するのであった。

比叡山横川（岡田克敏）

　母尼君と妹尼は、まだ正体のない浮舟を比叡山麓、小野の里の山荘へ連れ帰る。そこで横川の僧都の加持《かじ》を受けて、浮舟の意識が戻《もど》る。回復した浮舟は、自分の素性については固く口をとざし、ただ出家を強く望むだけであった。

出家を果たした浮舟

　秋になって、妹尼の亡くなった娘の婿中将が、弟が横川の僧都に弟子入りしていることもあって、小野の里にやってきて、浮舟の姿を垣間みる。

「白き単《ひとへ》のいと情《なさけ》なくあざやぎたるに、袴《はかま》も檜皮色《ひはだいろ》にならひたるにや」

　浮舟は白い単に檜皮《ひわだ》色の袴を履いている。檜皮色とは、檜《ひのき》の樹皮のような赤茶色で、出家した人がよくまとう色である。浮舟はまだ出家はしていないが、早くそうしたいと願って檜皮色をまとっているのだろう。中将は浮舟に惹かれるが、浮舟には、ただわずらわしいだけのことであった。そして、妹尼が初瀬詣で留守の間に、一品《いっぽん》の宮（明石中宮の一の宮）の物《もの》の怪《け》加持のため下山した僧都に懇願して、とうとう出家を遂げ、心の平安を得るのであった。

　翌年三月、薫は浮舟の一周忌の法要を営んだのち明石中宮の御所で、一品の宮の加持のさい僧都がふともらした浮舟らしき女の話を聞く。薫は僧都に会ってそれを確かめようと決意する。

【檜皮色の袴】 阿仙×蘇芳

檜皮色を檜の樹皮を使って染めたこともあったようである。ただそれだけでは少し赤味が足りない。

ここでは熱帯に生育するマメ科の阿仙《あせん》という茶色の代表的な染料で染めて、蘇芳の赤をかけて、かなり濃いめの檜皮色をあらわしてみた。

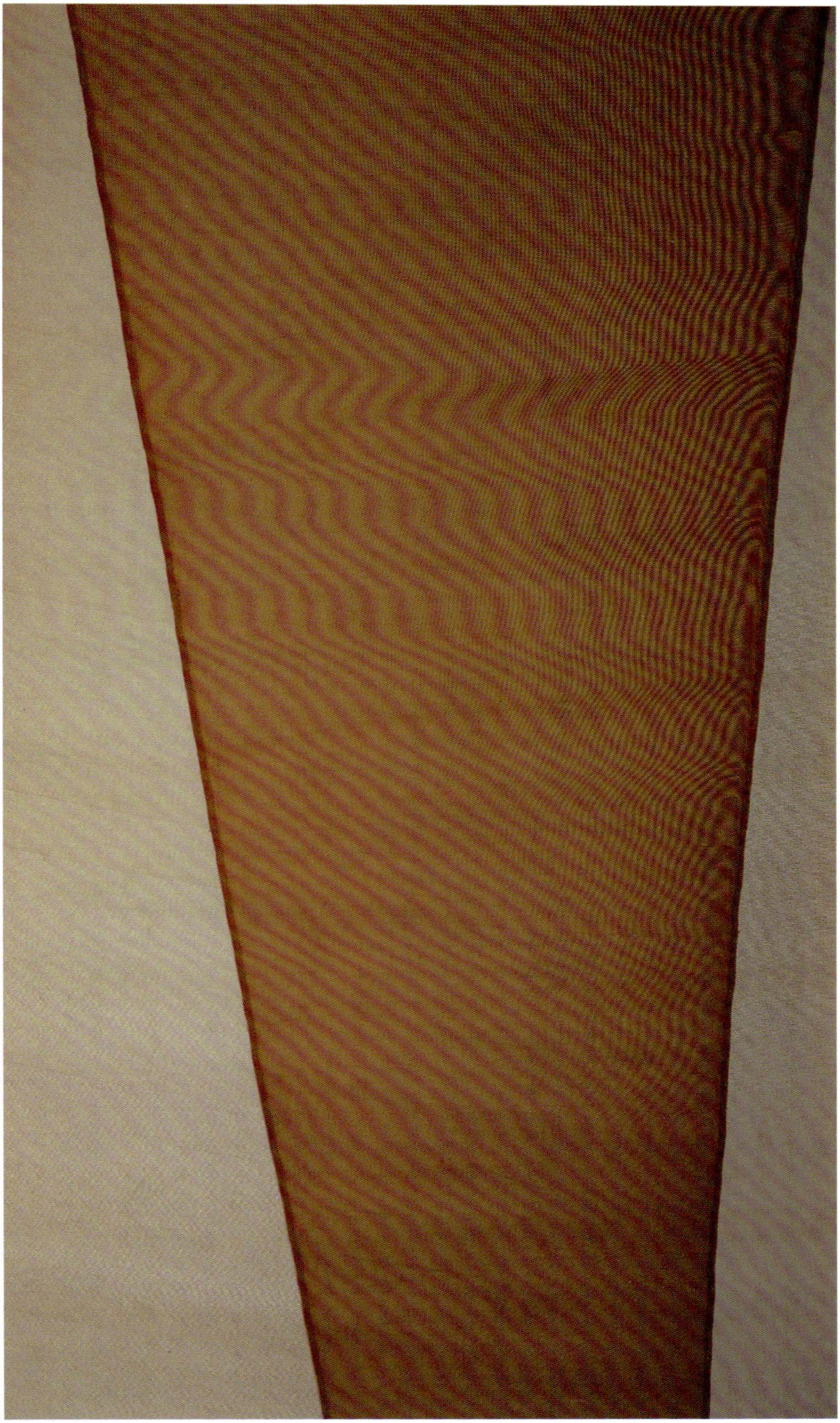

夢浮橋

夢浮橋

ゆめのうきはし

薫は比叡山横川《よかわ》に僧都を訪ねる。僧都よりこれまでのことを聞いて薫は、夢のようだと、思わず僧都の前で涙ぐんでしまうのだった。

薫は浮舟の弟小君《こぎみ》を同行していたので、小君に僧都の手紙をもたせてほしいと懇願する。出家の妨げになるとしぶる僧都だが、薫が仏道に篤い志をもっていることを知り、ついに浮舟に還俗《げんぞく》をすすめる手紙を書いた。

翌日、小君が僧都の手紙をもって、浮舟を訪れる。小君は薫の文《ふみ》も携えていた。妹尼はその文を開いて浮舟にみせる。「ありしながらの御手にて、紙の香《か》など、例の、世づかぬまでしみたり」かつてみたとおりの筆跡に、文には香がたきしめてある。せめてこれまでの話をさせていただきたい、と薫は書いている。

しかし浮舟は、薫の手紙に泣き伏して、いまはとても返事は書けない、という。妹尼もとりなすが、小君は返書をもらうことなく薫のもとにもどるのであった。

薫は、小君の話を聞いて落胆し、使いを出さなければよかったと後悔しつつも、もしかすると浮舟は男にかくまわれているのだろうかなどと疑いをもったりと、心が千々に乱れている姿で物語は閉じられている。

「紫」のものがたりのおわり――滅紫

ここでは、長いこの「紫」の物語を閉じるにあたって、「滅紫《けしむらさき》」という色をとりあげたい。

この色名は鮮やかで匂い立つような紫染から華やかさをすべて取り去った、紫が消えかかったようなしぶい紫色である。『延喜式』には「浅滅紫絲一絇　紫草一斤　灰一升　薪三斤」とあって、紫を染める技法とほぼ変わらない。私の工房では、紫根染は、紫根を染める日の朝に石臼《いしうす》で搗《つ》いて、それを湯のなかで揉んで色素を抽出するが、その染液はその日のうちに使い切る。毎日新鮮な染液をつくって染めるのだが、染液を一、二日おいておくと、鮮やかさが消えてまさしく滅紫色となる。これは私の想像の域を越えないが、往時もこのようにして染められたのではないかと思うのである。

紫のものがたり五十四帖は、まさしく「滅紫」の色で終わるのがふさわしい。

襲《かさね》の色目《いろめ》

再現にあたって

『源氏物語』は紫のものがたり

『源氏物語』は、天皇の皇子として生まれた美しく才能豊かな源氏の恋愛模様と宮中での栄華を描いた物語で、後半は源氏の次世代たちが主人公になってゆく。

ただ植物染をもっぱらとする私にとってこの『物語』は、日本のこまやかに移ろう美しい自然を映した花草樹とその色彩をどのように表現し、楽しんでいったかという物語として読めるのである。

さらにいえば、『源氏物語』は、「紫」という色を物語の主旋律としていることだ。

まず、作者の紫式部という名前からしてそうである。物語の主人公源氏の母は桐壺更衣《きりつぼのこうい》、父は桐壺帝と後世の読者によばれている。桐は初夏に淡い紫色にところどころ斑《ふ》がある花を咲かせる。桐壺更衣亡きあと、桐壺帝の寵愛《ちょうあい》を受け、源氏からも恋慕される藤壺宮《ふじつぼのみや》。藤はいうまでもなく紫の花をつける。

内裏の後宮《こうきゅう》にはいくつもの殿舎があり、それぞれ庭（壺）に植えられた植物によって、殿舎もそこに住まう女人たちも、その名でよび習わされる。ちなみに、桐壺は淑景舎《しげいしゃ》の庭に咲く桐から、藤壺は飛香舎《ひぎょうしゃ》の庭に植えられている藤からの名である。

さらに、源氏が「若紫《わかむらさき》」の帖で出会ってのちに最愛の人となるのが、紫の上である。

このように『物語』をとおして、「紫」という色がつねに意識されているわけで、紫式部の筆は、色彩表現と和様美の基本である四季の移ろいに対してひときわ鋭い洞察力を示している。

紫式部が物語の構想をえたという石山寺の源氏の間（岡田克敏）

また、十二世紀ころから発展した大和絵《やまとえ》の世界、たとえば、「伴大納言《ばんだいなごん》絵巻」「源氏物語絵巻」などに、当時の人びとの衣裳や、建築様式、室内調度もみることができる。

ここでは『源氏物語』の記述とともに、今日までのこされた文献資料、それに絵画資料などをとおして、平安期の日本の色彩世界をみてみよう。

今回、『源氏物語』の色彩の再現にあたって、王朝人の感性や、色彩観、また用語などについてよりよく理解していただくために、本文との重複もあるが、以下にそれらを記させていただく。

平安京と「和様」の文化

延暦十三年（七九四）、桓武《かんむ》天皇（在位七八一～八〇六）は平安京に遷都し、三方を山で囲まれた盆地に、平城京と同じく、唐の都長安をまねた条坊制《じょうぼうせい》による都市が造営された。

桓武天皇は、平安京において旧奈良仏教による政治的な干渉を排除して、新しい政治の形をめざしていたが、遣唐使をおくるなど、唐の文化の強い影響を受けていたという点では、文化的には奈良時代とあまり変わりはなかったといえる。

平安の都も百年ほどの歳月を経てようやく落ち着きをみせはじめた九世紀の終わり、宇多《うだ》天皇（在位八八七～八九七）の親任をえて政務にあたるようになった菅原道真《すがわらのみちざね》（八四五～九〇三）は遣唐使を中止するように発議した。中国の文化を受容し模倣することによって国を形成してきた日本にも、ようやく列島の自然風土にみあった独自の文化が芽生えはじめたのである。その中心となっていったのは、天皇と強い外戚《がいせき》関係を結んで、政権を掌握しつつあった藤原氏とその周辺の貴族であった。

中国の「唐様《からよう》」に対して、「和様《わよう》」と称される王朝の雅な文化の基調をなしたのは、京都の美しい景観であり、日本列島をこまやかに移ろっていく四季の自然そのものであった。貴族たちの関心は、草木花の彩りや、太陽の輝きと月の光の陰影を、眼に、心に、俊敏にとらえ、それをいかに表現するかということにあった。漢詩にかわってかな文字による三十一文字《みそひともじ》の和歌が詠まれ、より繊細な情感の表現を生み出した。

勅撰和歌集として『古今和歌集』が紀貫之《きのつらゆき》らによって編纂され、宮中ではしばしば歌合《うたあわせ》がおこなわれるようになった。『竹取物語』『伊勢物語』『土佐日記』が発表され、そして清少納言は『枕草子』を、紫式部は『源氏物語』を著したのである。

貴族社会では、天皇や高位の貴族のもとに娘を嫁がせるために、娘たちには教養を高め、美しく化粧《けわ》う精神を植えつけるように力が注がれた。皇后、中宮をはじめ、彼女らに仕えて後宮に集う女性たちは、高い教育を受けた才媛であった。故事に長け、歌や物語を解し、かつ著すことが条件でもあった。平安時代の王朝の文化は、まさしく後宮の女性たちが中心となって形成されていったといってもいい。

京都御所紫宸殿南庭の左近の桜（岡田克敏）

日々ゆるやかに移ろう季の彩りを感じ、それを読みとることは、文学における表現にとどまらず、寝殿造《しんでんづくり》という貴族の邸宅、そこに配される御簾《みす》、帳《とばり》、几帳《きちょう》などの調度、そして、なにより女人たちを飾る衣裳、さらには手紙や詩歌をしたためる和紙、料紙など、身辺のさまざまなものにおよんでいった。

中国的な唐様から、「和」の世界へ文化が構築されていくにつれて、色彩の世界、とくに衣裳と調度においても変化がみられるようになっていく。

『延喜式』と王朝物語にみる色彩

ただ、日本の独自性が高まっていく平安朝の和の美を探求していくとき、ひとつの大きな障害がある。というのは、飛鳥から天平にかけての文化遺産は、今日なお法隆寺、東大寺正倉院などに、幸いにも長い年月を経てのこされており、そこに伝来した宝物に往時の姿をみることができる。しかし、京の都はいくたびかの戦乱と火災、とりわけ十五世紀に起こった応仁・文明の十一年にもおよぶ長い争乱によって焼きつくされてしまったため、直接私たちが眼にできる平安期の京都の遺産はほとんどのこっていない。

そうしたなかで、十世紀に撰進された、律令の施行規則である『延喜《えんぎ》式《しき》』が現在まで伝えられているのは幸いなことであって、この『延喜式』のなかには染織に関しての記述、とりわけ、色名とその植物染の材料、さらには和紙の染色のことなどがみられて、かなり具体的に考えをめぐらすことができるからだ。

そしてなによりも王朝の色彩をみていくなかで重要なことは、王朝文化が華やかなりしときに記された『源氏物語』や『枕草子』に代表される文学、その本文をじっくりと読み解いていくことである。

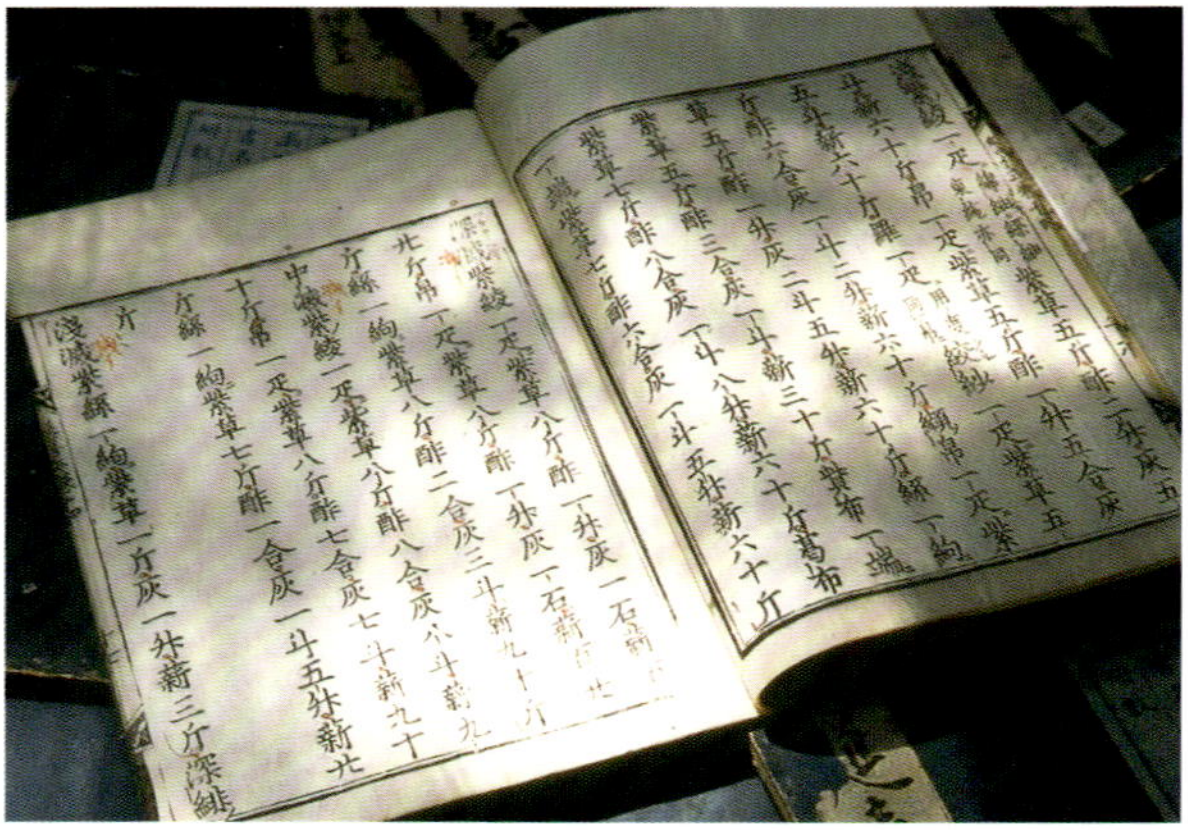

江戸時代の木版摺の『延喜式』

「はじめに」にも述べたように『源氏物語』の作者紫式部は、曾祖父が三十六歌仙の一人藤原兼輔《かねすけ》で、代々漢学者の家に生まれた頭脳明晰な女性である。そして、藤原道長《みちなが》（九六六〜一〇二七）の娘で、一条天皇（在位九八六〜一〇一一）に嫁した中宮彰《しょう》子《し》の家庭教師のような立場となって、当時の朝廷の人びとの様子についてきわめてこまやかに取材した。

とりわけ平安京の季節のそれぞれの麗《うるわ》しい姿、宮中の儀式、賀茂《かも》の祭をはじめとする祭礼、そして「襲《かさね》」という何枚も重ねた衣裳の、四季それぞれの衣裳の描写はまことに見事である。

登場する襲の色目をいくつか採出してみても、春は紅梅、柳、桜、山吹、夏は藤、楝《おうち》、撫子《なでしこ》、秋は女郎花《おみなえし》、萩、桔梗、菊、紅葉という多様さである。『物語』に登場する女人たちが、季節ごとにまとう衣裳を、華やかに競っている様子が彷彿《ほうふつ》としてくる。

『延喜式』に記された色彩

醍醐《だいご》天皇（在位八九七～九三〇）の命により、延喜五年（九〇五）から『延喜式』の編纂がはじめられ、それから六十余年たって施行された。その全五十巻の内容は、のちの代まで、宮中の儀式、行事、制度の典拠として重要視されることになる。

そのなかで染織に関しては巻十四「縫殿寮《ぬいどのりょう》」があり、当時の衣服裁縫を司る役所（縫殿寮）についての記録がみられ、なかでも「雑染用度」の条には、三十種類の色名と、それを染めるための植物染料と用布、灰や酢などの助剤《じょざい》が列記されている。これが今日まで伝えられているということは、『正倉院文書』とともに、古代日本の染織技術を推し量るのに大きな助けとなる。

『延喜式』には染材と、染色に必要な材料が記されているものの、染めの手順やコツがよくわからないものが多い。ただ、私の工房で永年、それらの植物染料を使って毎日のように染めをくり返していくと、その実見からしだいに『延喜式』のいわんとすることが、わずかずつあきらかになってくる。

『延喜式』に挙げられている植物染料が、当時用いられていた植物染料のすべてかというと、そうはいえないようで、実際は、もっと多くの植物を用いていたであろうが、重要で代表的なものが網羅されているのは間違いなく、宮廷における儀式、行事などの衣裳を調達するときの基準となっていたのである。

時代による色名の変化

『延喜式』に記された染色材料などの記述を解読し、かつ、法隆寺、東大寺正倉院に今日までのこされた染織品の数々をみていくと、日本の染織技術は奈良時代の盛世期に染色法がほぼ完成し、それから約一世紀半を経たあとも、そのまま維持されていることが理解できる。それはまた、中国はもとより、世界の文明の発達した各地と比較しても、遜色《そんしょく》のないものである。王朝の貴族たちはそうした技術を背景に、美麗な衣裳を身にまとって、日を過ごしていたことになる。

また、色の名前のつけ方にも、大きな時代のうねりがやってくる。奈良時代から平安時代初期の、たとえば『正倉院文書』や『延喜式』のような文献から、色名をみると、官位の紫、青、赤、黄、白、黒といった直接的な表現や紅、刈安《かりやす》、胡桃《くるみ》、橡《つるばみ》、蘇芳《すおう》といった染色の材料であらわしたものが多く、桃花褐《つきそめ》などがようやく植物の花の色をあらわしている程度である。

ところが、『古今和歌集』などをみると、春には「桜色に衣《ころも》はふかく染めて着む花の散りなむのちのかたみに」（紀有朋《きのありとも》）と桜の花をいい、秋には「龍田川《たつたがは》もみぢみだれて流るめりわたらば錦《にしき》なかやたえなむ」（よみ人しらず）と、紅葉が散る竜田《たつた》川の情景を錦ととらえるように、四季に咲き競う植物の花の彩りや野山の草樹の移り変わりになぞらえる色名が多く登場してくる。

かな文字が発明され、三十一文字の和歌が詠まれ、物語や随筆がつぎつぎと著されたことの背景となったのが、移ろいゆく草樹花の色彩であり、それらをどのように歌に、文に表現し、さらには衣裳、手紙、そして几帳などの調度品のなかに取り入れられていくかということに人びとの心が注がれたからであろう。

襲の色目の配色の妙

『延喜式』にみられる染織技法を背景に『源氏物語』の色彩をみる場合、それらがもっとも顕著にあらわれているのは、女性の襲《かさね》の衣裳である。

それまでは、正倉院にのこされた衣裳や絵画などからみると、やや曲線裁ちの入った衣服であったようだが、平安京に都が遷《うつ》されてからおよそ百年のあいだに、現在の着物の原形である直線裁ちのかたちが整えられていった。とりわけ、貴族の女性たちは美しく着飾ることに心を配り、十二単《じゅうにひとえ》といわれるように、何枚もの衣裳を重ね着して晴れやかなものとした。

数領重ねた衣裳の、襟元《えりもと》や袖口《そでぐち》、裾《すそ》などにあらわれる流れるような色の調和、一領の衣の袘《ふき》（裾・袖口などの裏地が少しみえる部分）にわずかにのぞく表と裏の色の対比、上に薄く透き通るような経糸をからみあわせる捩織《もじりおり》の羅《ら》、紗《しゃ》、絽《ろ》の織物、練《ね》って（灰汁などで煮てやわらかくすること）いない生《き》の絹である生絹《すずし》の平絹などの薄絹を重ね、光の透過であらわれる微妙な色調を、季節ごとに咲き競う花の彩りや木の葉の色合いなどになぞらえて楽しんだのである。

このような配色の妙が、「襲《かさね》の色目《いろめ》」といわれるものである。

垣間みる「出衣」「打出」「押出」

『源氏物語』が描かれた時代、貴公子らが女性にじかに対面できるのは、親、兄弟のほかは、夫または恋人だけであり、そのため、まだ恋人になっていない男性が女性の邸を訪ねても、御簾や几帳などを隔てて容姿をみることなく話をする（女房がとりつぐ）ことになる。

それでは、男性は、なににもとづいて、女性の好みを判断したのか、という疑問がわく。そのような情況では、女性の側は、裾の重なりや袖の一部を御簾などの外へ出して、自らの衣裳の美しさを垣間みせたのである。そのことを「出衣《いだしぎぬ》」「打出《うちいで》」「押出《おしいで》」という。

「出衣」は、牛車で外出するさいに、車にかけた簾の裾から袖などの衣裳の一部を出して、まるで牛車を飾るようにすることである（出車ともいう）。

また、宮中などの行事に招かれたさいに、御簾の内側に座して、裾の一部を外に出しておくことを「打出」といい、袖の一部を出すことを「押出」という。あるいは、「打出」は御簾に対して横向きに座り、袖と褄を出してみせ、「押出」は正面向きに座って御簾から袖のみを出すという説もある。

高貴な女性は、自邸でもくつろいでいるおりにも、几帳や御簾のうしろにいて、外から容易にみられないようにしている。

そうしたときに、御簾や几帳のすみに女性の衣裳の襲の色目が打出されていて、その色相がいまの季節にふさわしい色襲であれば、男性らはセンスのいい女《ひと》と想像して文を出して交際の手だてがとられるのである。

王朝の女君と男君の装束

【女君の装束】

単《ひとえ》　裏地のつかない単仕立ての衣で、袴《はかま》の上に引く下着として用い、上に重ねる衣より大きく仕立てて、袖口などにのぞかせる。男女ともに使う。

袿《うちき》　単の上に数領重ねる装束。

表着《うわぎ》　袿の一番上のもの。

小袿《こうちき》　ややあらたまった場合に、袿の上にまとう裄《ゆき》と丈の短い袷仕立ての装束。

袴《はかま》　素肌に直接つけ、色は紅色が本来とされるため、紅袴《くれないのはかま》、緋袴《ひのはかま》とよばれる。（「空蟬」26ページ）

唐衣《からぎぬ》と裳《も》　女房の正装。身分が高い人と同席するときに着用する。表着の上に唐衣を着て、腰から下に裾を長く引いて巻スカートのような裳をつける。（「若菜下」164ページ）

細長《ほそなが》　高貴な子女が表着の代わりに着るもので、衽《おくみ》がない長い丈の袿。正式の場では小袿にかさねて着る。（「若菜上」159ページ）

衵《あこめ》　童女の平常着。袿より裾を短くして身丈に仕立てたもの。

汗衫《かざみ》　童女の正装のときに着用する。衵の上に裾が長く脇があいたもの。

【男君の装束】

直衣《のうし》　貴族男子の平常着。官位による色の制限が比較的自由である。（「花宴」54ページ）

指貫《さしぬき》　裾に紐を通してくくった袴。（「花宴」54ページ）

狩衣《かりぎぬ》　もともとは狩のさい着用した服装で、脇を縫わず袖にくくり、紐を通してすぼめるようになっている。軽快なため旅行着にも用いられる。

束帯《そくたい》　貴族男子の正装。下着に単、大口袴《おおぐちはかま》を着て、単と下襲の間に衵、表袴をかさねて下襲の裾を長く引く。

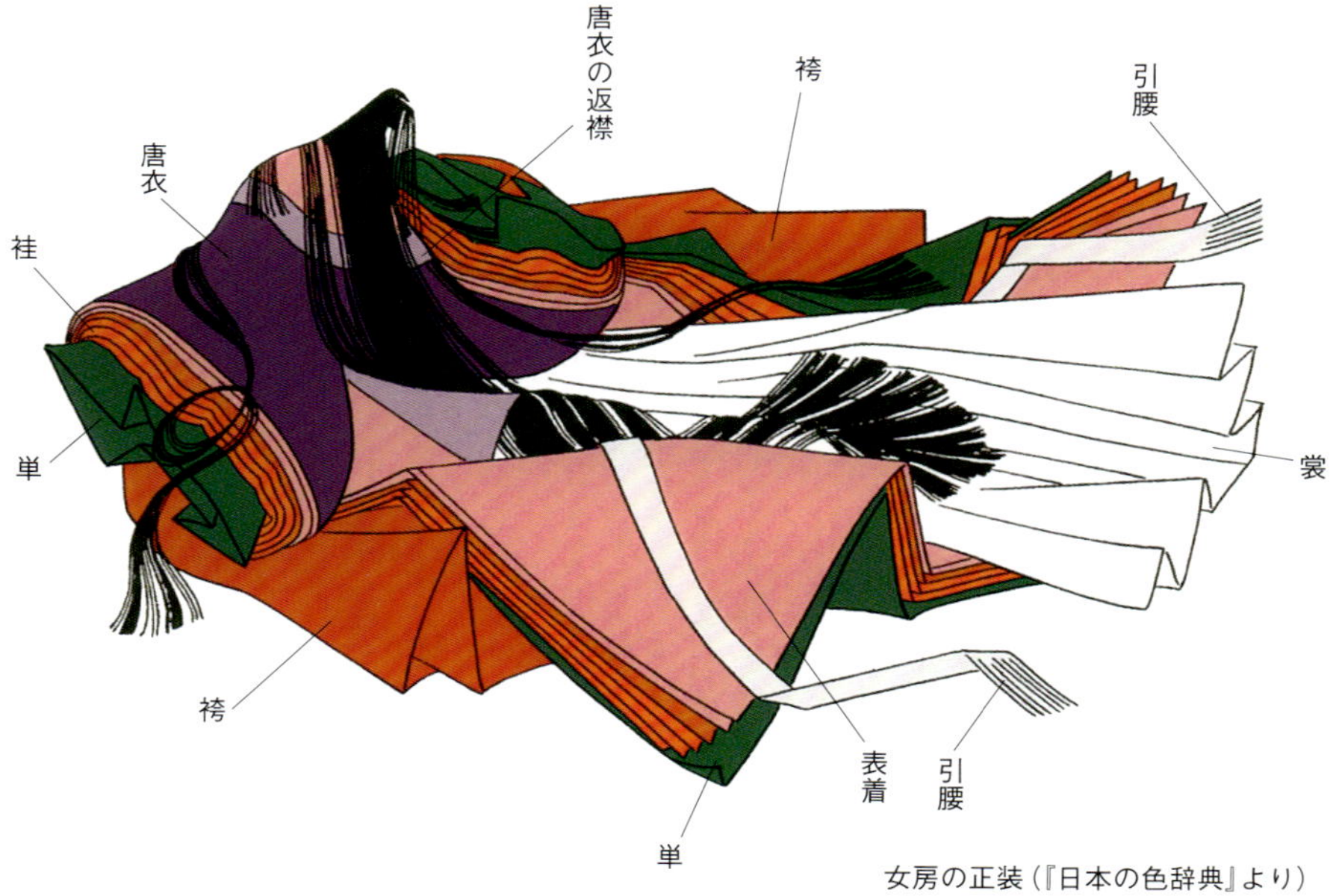

女房の正装（『日本の色辞典』より）

袍《ほう》 貴族男子が正装のさい着用する丸い襟の上衣《うえのきぬ》。官位により袍の色が決められている。(「絵合」96ページ)

半臂《はんぴ》 袍の下に着る袖なしの胴衣。

下襲《したがさね》 貴族男子が正装のおり、袍と半臂の間に着るもので、裾を長く引く。(「花宴」54ページ)

平安時代の女房装束のもっとも正装とされる場合、いちばん上には唐衣《からぎぬ》と裳《も》をつけ、その下に表着《うわぎ》、打衣《うちぎぬ》、そして袿《うちき》(五衣《いつつぎぬ》)を重ねる。いちばん下が裏をつけない単《ひとえ》と袴《はかま》となる(右ページ図参照)。

平常は宮中でも私邸でも、下には単に袴をつけ、袿を重ねるのが基本となっていた。袴は紅色が本来とされているが、若年は濃色、転宅のときは白、忌み事のおりは橙色に似た萱草色《かんぞう》(69ページ参照)などを用いることもある。

袿《うちぎ》は内衣の意をもつもので、数枚重ねて襟や袖口、裾の配色の妙を競った。しだいに五領重ねることが定着して五衣とよばれるようになった。

時代が下ると、襟や袖口、裾などみえるところだけを五枚重ねる仕立て方に変わる。ややあらたまった機会には、その上に小袿という裄も丈も袿より短い袷仕立ての衣を着用する。ときには、この上に唐衣や細長を着る場合もあったようである。

上から下までの衣裳の色の組み合わせをいうときは、上に着る衣裳を少しずつ小さく仕立てることによって、袖口、襟元、裾や褄がわずかずつずれて、それぞれの色が緩やかに重なるようにしたわけである。

女性の唐衣や小袿、男性の袍や下襲など袷仕立てのものは、それぞれの表と裏で襲の色目を表現し、それらの下に何枚か重ねる袿などは、袿全体を暈繝《うんげん》のように濃淡としたり、さらに細かくみれば、袿一枚一枚の表裏をそれぞれ異なった色で仕立て、それぞれは襲の色目で表現されるものもあった。

襲の色目の色調

襲の色目の色調の重ね方は、つぎのようにまとめられる。

匂《にお》い 「匂い」とは本来、色が映え、美しく好ましくすぐれていることを意味し、華やかさ、香り、光までを含んで気高いことを表現している。

襲における「匂い」には二通りあり、濃い色と淡い色を対比させてみせる場合と、同色の濃淡を重ねて暈《うん》繝《げん》のようにあらわす場合がある。

薄様《うすよう》　「匂い」に近い言葉で、上から順に薄い色から濃い色へと重ねていくこと。また、透けるような白を上に重ねて、下の濃い色を淡くみせることにも用いる。

これは「薄様」の本来の意味が、雁皮紙《がんぴし》のように薄く漉いた和紙をいうところにある。あるいは、絽《ろ》、紗《しゃ》、羅《ら》のような薄い織物を薄物とよぶことからとも考えられている。

裾濃《すそご》　同系色を重ね、上は薄く、下に近づくほど濃くするもの。これは甲冑《かっちゅう》を綴りあわせる威《おどし》の彩りにもおこなわれた。

村濃《むらご》　斑濃、叢濃とも書き、同色にところどころ濃い色や薄い色を混ぜるもの。

於女里《おめり》　衽《ふき》の古称。衣を袷仕立てにしたときに、袖口や裾の裏地を表に折り返して縁のようにみせるもの。

襲の色目は、同じ名称であっても、用いる個人によって微妙に色調が異なるのはいうまでもない。四季二十四節気七十二候というように一年を四、五日の周期に分け、雪月花の風景に眼を凝らす。そこで育まれた一人ひとりの感性が、衣裳や調度に反映されている。歌を詠み、物語を綴るのと同じような、季の移ろいを感じて表現できる教養が、貴人たちには備わっていなければならなかった。

日常はもとより、宮中で繰り広げられる節会や儀式などの晴れの場、他家に招かれた宴のおりに、王朝人たちは磨きあげた感性を迸《ほとばし》らせながら、華麗な色の競演をしていたのである。

季にあった多彩な衣裳をまとう

このような王朝人の色彩観を論じる場合に、色名と襲の色目とをそれぞれ、季節と結びつけて固定的にみていく傾向が強いが、私は、冠位をあらわす場合は別にして、当時の人びとはもっとおおらかに、着用していたのではないかと考えている。

襲の色の、たとえば桜襲を古い文献より例にとれば、室町時代の関白太政大臣で『源氏物語』の注釈書『花《か》鳥《ちょう》余《よ》情《じょう》』を著した一条兼良《いちじょうかねよし》（一四〇二～一四八一）の

女三の宮の桜の細長の裾

『胡曹抄《こそうしょう》』には「表白　裏赤花《あかはな》」とあり、同じ兼良の『女官飾鈔《にょかんかざりしょう》』には、「小袿は蘇芳　表衣は紅花（表紅裏蘇芳）五衣は桜襲」とある。

　これらはいずれも平安時代の終わりごろから中世、近世にかけて、王朝をしのぶ公家たちが、研究により有職故実《ゆうそくこじつ》として規定していったものである。それらを厳格な服装の、いわば規定されたもののようにみなして古典文学の解釈、解説がなされてきた。

　しかし、たとえば桜の美しい季節に「花の宴」がおこなわれる。すると、ほぼ同じ程度の身分の女性たちは、制服のようにまったく同じような桜襲を着て参宴していたのかというとそうではなく、それぞれが自らの感性において、麗しく桜を表現するように、工夫を凝らした色と織りの衣裳をまとっていたと考えたほうが正しいだろう。

　あるいは、少し季節を先取りして、山吹（表淡朽葉裏黄）の襲を着るとか、柳（表白　裏萌黄）の襲で登場して、ひときわ青緑がひきたつというようなこともあったろうと考えた方が、より王朝人のおおらかな心が理解できる気がするのである。

桜の襲《さくらのかさね》
白(生絹)、
順に紅花染の濃淡

紅梅の襲《こうばいのかさね》
白(生絹)、
順に紅花染の濃淡

桜萌黄の襲《さくらもえぎのかさね》
白(生絹)、
順に蓼藍×黄蘗、紅花染の濃淡

柳の襲《やなぎのかさね》
白(生絹)、
順に蓼藍×黄蘗の濃淡

【夏】

藤の襲
ふじのかさね
紫根×蘇芳、紫根の濃淡、
白(生絹)、蓼藍×黄蘗

山吹の襲
やまぶきのかさね
一枚目は刈安染、
黄蘗染の濃淡

卯の花の襲
うのはなのかさね
白(生絹)、
順に蓼藍×黄蘗の濃淡

躑躅の襲
つつじのかさね
蘇芳染の濃淡、
五枚目は蓼藍×黄蘗

棟の襲
おうちのかさね
紫根染の濃淡、
四、五枚目は蓼藍×黄蘗

杜若の襲
かきつばたのかさね
紫根染の濃淡、
五枚目は蓼藍×黄蘗

二藍の襲
ふたあいのかさね
蓼藍×紅花の濃淡

蓬の襲
よもぎのかさね
安石榴×蓼藍の濃淡

女郎花の襲
おみなえしのかさね
黄(橡染)、
蓼藍×橡、蓼藍×黄蘗の濃淡

撫子の襲
なでしこのかさね
紅花染の濃淡、白(生絹)、
五枚目は蓼藍×黄蘗

萩の襲
はぎのかさね
蘇芳染の濃淡、白(生絹)、
蓼藍×黄蘗の濃淡

桔梗の襲
ききょうのかさね
紫根染の濃淡、
蓼藍×黄蘗の濃淡

葡萄の襲
えびのかさね
紫根染の濃淡、
蘇芳染、蓼藍染

紫苑の襲
しおんのかさね
紫根染の濃淡、
五枚目は蓼藍×黄蘗

【冬】

胡桃の襲
くるみのかさね
矢車染、胡桃染の濃淡、
蓼藍×黄蘗の濃淡

紅葉の襲
もみじのかさね
刈安染の濃淡、
茜×刈安、茜染の濃淡

香色の襲《こういろのかさね》

丁字×安石榴、丁字染、
安石榴×栗の濃淡、栗染

蘇芳の襲《すおうのかさね》

蘇芳染の濃淡

松の襲《まつのかさね》

蓼藍×黄蘗の濃淡、
五枚目は紫根染

檜皮の襲《ひわだのかさね》

阿仙×印度茜の濃淡、
阿仙染の濃淡、蓼藍染

植物染料のいろいろ

【赤系の色】

・・・紅花《べにばな》・・・

紅花は、エチオピアからエジプトあたりが原産地とされているキク科の一年草。夏にアザミに似た紅黄色の花を咲かせる。日本へは中国より五世紀ころの伝来とされていたが、平成十九年（二〇〇七）の奈良県桜井市纏向《まきむく》遺跡の調査発表では、遺跡の排水溝から大量の紅花の花粉が発見され、弥生時代後期から古墳時代前期（三世紀ころ）には渡来していたと考察されている。

平安時代には関東から中国地方にかけて広く栽培され、近世の初期から中期にかけて東北地方、とくに山形県が代表的な産地となった。「最上《もがみ》紅花」として知られ、現在も栽培がおこなわれている。

紅花は夏に花びらを摘みとり、乾燥させておく。「寒《かん》の紅《べに》」といわれるように、冬の厳しい冷え込みのなかで染色すると色が冴えるのである。

にごりのない鮮やかな紅色にするには、花びらを何度も洗って黄色の成分を流して赤の色だけを取りだし、アルカリ性である藁や椿の木の灰でつくった灰汁《あく》に入れると、鮮やかな美しい赤をえることができる。藍とともに植物染料の代表格である。

・・・蘇芳《すおう》・・・

インド南部やマレー半島など熱帯あるいは亜熱帯に生育するマメ科の樹木の芯に赤色の色素が含まれている。上代からの輸入品で、現在でもインドネシアなどからの輸入にたよっている。明礬《みょうばん》や椿、柃《ひさかき》の木の灰汁で媒染《ばいせん》する

蘇芳の樹（中国）

乾燥させた紅花の花びら

蘇芳の芯材

と、やや青味がかった赤色に染まる。

また、「蘇芳の醒《さ》め色」といわれ、蘇芳で染めた染織品は褪《あ》せやすく、現在までのこされているものも茶色に変色している。また蘇芳は鉄で媒染すると紫色になるため、江戸時代には貴重な紫根染の本紫《ほんむらさき》にかわって染められ「似《にせ》紫《むらさき》」と称された。

●●● 日本茜《にほんあかね》 ●●●

茜の根、すなわち「アカネ」が染料となる。

アカネ科の多年草で、根はひげ状に細かくわかれ、一年目は黄色、二年目から赤色となる。赤の染料としては最古といわれているが、一年目の根の黄色がにごる原因となり、たいへん手間がかかる染色だったため、中世から江戸時代の中期まで廃《すた》れていた。

しかし茜で染めると退色が少なく、約九百年前の染織品にも黄味を帯びた鮮烈な赤がのこっている。

日本茜のほか、印度茜《いんどあかね》、六葉茜《ろくようあかね》の根も染色に使う。

【青系の色】

●●● 蓼藍《たであい》 ●●●

蓼藍は青系の色のほとんどに使われているといっても過言ではない。蓼藍は東南アジア原産のタデ科の一年草で、高温多湿で肥沃な地域に生育する。日本へは五世紀ころ中国から伝来した。春に種を蒔き、芽がととのってから畑に移植する。

梅雨明けごろに一メートルほどに成長した蓼藍を刈りとって細かく刻み、水のなかで三十分ほど揉むと濃い青緑の染液ができる。しかしこの生葉染だと、染められる期間が限られるため、葉を腐らせ発酵させて蒅《すくも》にする（蒅法）か、私の工房では水にしばらく浸けて溶出した色素を灰で沈殿（沈殿法）させておく方法をとっている。蒅も沈殿させた藍も甕《かめ》に入れ、酒や糖類のものを入れて還元発酵させる。表面に泡（藍の花）がたつと、染色の準備ができたことになる。

藍の仲間はインド藍、ヨーロッパの

蓼藍の葉

藍の花

日本茜の赤い根

大青《たいせい》、中米やアフリカ中央部東海岸に生育するナンバンコマツナギ、沖縄の琉球藍など世界中に分布している。

●●● 山藍《やまあい》 ●●●

山藍はトウダイグサ科の多年草で、一年中青々とした葉をつけている。藍と名がついているが、藍の成分は含まれない。そのため時間がたつと茶色に変色する。山藍をすりつぶし、布に摺り込んで草色をあらわす原始的な染色法である摺染の「青摺《あおずり》」に用いられる。天皇の御大典には京都石清水《いわしみず》八幡宮の境内に生育する山藍で摺った衣が献上された。

●●● 露草《つゆくさ》 ●●●

露草も山藍と同様に摺染に用いられてきた。ツユクサ科の一年草で、夏に道端や畑地に瑠璃《るり》色の花を咲かせる。水にあうと色が流れてしまうが、この特性を生かして、「青花紙」がつくられている。

青花紙は、花びらだけを摘んで圧縮し、出てきた青い汁を和紙に塗って天日で乾かす作業を何度も繰り返してつくられ、友禅の下絵描きや、陶磁器の絵付けのさい、これをちぎって水を注いで溶かし、絵具のようにして使われる。

【紫系の色】

●●● 紫根《しこん》 ●●●

紫草はムラサキ科の多年草で、日当たりのよい草地に生育し、五月末から六月にかけて白い花を咲かせる。

染色には赤味を帯びた根の外皮を使う。根を掘り起こし、石臼で搗いて砕いたのち、麻袋に入れ、湯につけながら表面に凹凸のある板のうえで揉み込んで色素を取りだす。染めた糸や布は、椿の生木を燃やしてつくった灰汁で媒染する。

紫草は、環境の変化にたいへん脆弱《ぜいじゃく》な植物であるため、現在では自生する紫草をみることは極めて稀である。王朝の昔でも稀少かつ高価な植物染料で、それだけに紫根染の衣裳をまとえる貴族は、権力財力ともに超一流であ

紫草の根・紫根

青花とよばれる露草

石清水八幡宮境内の山藍

ったと想像していい。

二藍《ふたあい》

平安時代の流行色であった二藍は、『源氏物語』にもよく登場する色名である。染料ではないが、紫系の重要な色として述べておく。

二藍は、まず蓼藍で染め、それに紅花をかけあわせて紫色をあらわす。中国より染織技術が伝えられたころ、「藍」は染料の総称であった。紅花は呉《くれ》の国から渡来したとして「呉藍《くれのあい》」とよばれた。ふたつの「藍（染料）」をかさねたため、二藍という色名が生まれたのである。

藍と紅の割合により無限に近い数の紫色が生まれるが、若い人は赤味の強い二藍、年齢を経るごとに藍の割合を多くして青味の強い濃い色をまとっていたとされる。

【黄系の色】

刈安《かりやす》

刈安は『正倉院文書』にすでに登場している染料で、黄系の色名としてはもっとも古いといってもよい。刈安はススキによく似たイネ科の多年草で、本州中部から西の、おもに山地に自生している。

滋賀県伊吹山の刈安は「近江《おうみ》刈安」と名高い。伊吹山山頂近くは高木が少なく草原のようになっていて、紫外線が強く照りつけている。刈安は紫外線から身を守るためのフラボンという黄色色素を豊富に含み、これが良質な黄色染料の源となっているのである。

茎を乾燥させて煮出して煎じ、椿灰の灰汁で媒染すると、すこし青味がかった澄んだ黄色に染まる。

黄蘗《きはだ》

黄蘗はミカン科の落葉高木で、山地に自生する。樹皮の内側に鮮やかな黄色のコルク層があり、これが健胃・消炎の漢方薬「黄蘗《おうばく》」および染料として使われてきた。漢方薬になっていることからわかるように、強い殺菌作用があり、古くは経典を書写する用紙を黄

紫草の花

伊吹山に茂る刈安

刈安を煮出して染液をえる

蘗で染め、虫の害を防いだ。それらは『正倉院文書』に「黄紙、黄染紙、黄麻紙」と記され、また奈良薬師寺に伝わる「魚養経《ぎょようきょう》」などにみることができる。

●●● 支子《くちなし》（梔子）●●●

アカネ科の常緑低木の支子は、果実が熟しても口を開かないことから「クチナシ」と名づけられたという。夏のはじめに芳香を放つ白い花をつけ、秋の終わりから冬のはじめにかけて黄赤色の徳利形の実をつける。

この実を天日で乾かして、水に入れぐつぐつ沸かして煎じると黄赤の染料、または食用の着色料となる。日本では飛鳥から奈良時代にかけて染料として使ってきた歴史がある。さらに支子の実は、吐血・利尿の生薬「山梔子《さんしし》」として用いられる。

『延喜式』では「支子色」は、赤が少し入った黄色の支子の実の色を指し、支子で染めた黄はあえて「黄支子」と表記している。

●●● 楊梅《やまもも》（山桃・渋木）●●●

楊梅はヤマモモ科の常緑高木で、本州中部以西の暖かい地方に自生するとともに、街路樹として植栽もされている。樹皮が染料として用いられ、染色後に耐水性を増すため、漁網などを染めていた。

樹皮を煮出して染めると、少し青味がかった深い黄色に染まる。

●●● 槐《えんじゅ》●●●

槐は、中国原産のマメ科の落葉高木で、庭木や街路樹に植栽されている。夏に蝶のような白黄色の花を咲かせ、サヤ状の実をつける。

花や実に黄色色素のルチンを豊富に含んでいて、乾燥させた蕾で染めると、明るい黄色に染まる。

【緑系の色】

自然界で単独で緑系の色が出せるのは、緑青、白緑といった顔料、それに櫟《くぬぎ》や楢《なら》などブナ科の樹木が茂る地で生息するヤママユガ科の山繭《やままゆ》はもとも

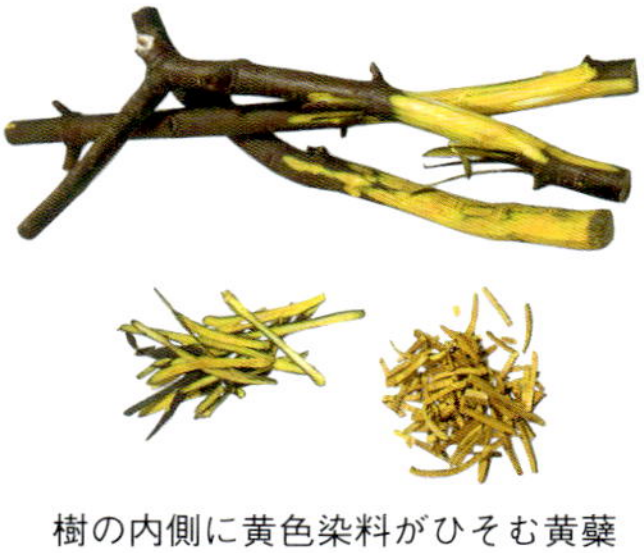

樹の内側に黄色染料がひそむ黄蘗

支子の黄赤の実

乾燥させた槐の蕾

と淡い緑色の糸を吐くため、この糸で織ると、淡い緑色が得られる。

しかし植物の葉がもつ葉緑素は脆弱な色素で、時間がたつと茶色に変色し、水にあうと流れてしまう。

そのため、緑系の色を出すには、青系と黄色系の染料をかけあわせる必要がある。

【茶系の色】

丁字《ちょうじ》

丁字は、インドネシアのモルッカ諸島原産でフトモモ科の熱帯常緑高木で、花の蕾《つぼみ》を乾燥させたものが、染料、香辛料、生薬として使われてきた。正倉院にも収蔵されている古くからの輸入品である。

なお十八世紀にイギリス人がタンザニア（旧英国領）に丁字をもちこみ、現在はそこで世界流通の約九〇％が生産しているという。

英名のクローブ（clove）でもよく知られ、肉料理の臭み消しによく使われる。乾燥させた蕾を煎じると、えもいわれぬ芳香がのこるため「香色《こういろ》」「香染」とよばれた。

胡桃《くるみ》

日本に生育する胡桃は、オニグルミという種類の落葉高木である。私の工房にも胡桃の木があって、秋の初めに青い果実がいくつもなる。

その青い実を葉や枝とともに煎じると、茶色の染液がえられる。その液で染め、明礬《みょうばん》で媒染させると、食用となる胡桃の核の色のような淡い茶色に染まる。

阿仙《あせん》

インド原産のマメ科の喬木で、アセンヤクノキ、アカシア・カテキューとよばれる。日本へは、奈良時代に鑑真和上がもたらしたと伝わり、幹材を煮詰めて胃腸薬としていた。

煮詰めた液で染めて明礬で媒染すると、少し赤味の深い茶色に染まる。

青い胡桃の実

丁字の蕾・クローブ

乾燥させた阿仙

【黒系の色】

●●●矢車《やしゃ》・橡《つるばみ》（団栗《どんぐり》）●●●

植物の実にはタンニン酸が豊富に含まれている。このタンニン酸が金気にあうと、黒系の色に染まり、明礬などアルミ分を含むものにあうと、茶系の色に染まる。

矢車とは、ハンノキ、ヤシャブシの実のことで、橡とは、クヌギ、ナラ、カシワ、カシなどのブナ科の植物の実（団栗）のことで、これらを乾燥させた実を煎じて染料として使う。喪に服す色「鈍色《にびいろ》」は多く矢車や橡で染められる。

●●●檳榔樹《びんろうじゅ》（檳榔子《びんろうじ》）●●●

檳榔子はインドから東南アジアの熱帯・亜熱帯にかけて生育するヤシ科の檳榔樹の実で、古くからの輸入品である。

実を乾燥させたものを染色に使うが、鉄で発色（媒染）させると、気品のある深い黒色が得られる。

【媒染・発色剤について】

染料には、紅花、蓼藍、黄蘗、支子などその染料単独で糸や布が染められる「単色性染料」とよばれるものと、紫根、日本茜、蘇芳、刈安、矢車など、媒染剤を仲介役として発色させる「多色性染料」がある。

媒染剤は金属塩で、主にアルミニウム塩、鉄塩を含んでいるものが使われる。アルミニウム塩には、古代から使われてきたものに椿、柃《ひさかき》などの生木を燃やしてつくった木灰と、地中に含まれる天然のアルミ分である明礬がある。

鉄塩には、米酢あるいは木酢で腐らせた粥の中に鉄を入れてつくる鉄漿《かね》（お歯黒《はぐろ》鉄）と、鉄分を含んだ泥が使われる。

また紅花は単色性染料であるが、紅泥のように絵具のようにする場合、燻《くん》蒸《じょう》のち天日で乾燥させた梅の実「烏《う》梅《ばい》」が発色剤となる。烏梅のクエン酸により、より澄んだ色合いにすることができるのである。

鈍色を生み出す矢車

古くからの輸入品・檳榔樹

紫苑の襲 しおんのかさね……142 244
菖蒲の襲 しょうぶのかさね……130
蘇芳の襲 すおうのかさね……245
橘の襲 たちばなのかさね……70
躑躅の襲 つつじのかさね……241
撫子の襲 なでしこのかさね……124 127 128 142 243
萩の襲 はぎのかさね……243
氷雪の襲 ひょうせつのかさね……219
檜皮の襲 ひわだのかさね……245
藤の襲 ふじのかさね……15 19 90 241
二藍の襲 ふたあいのかさね……242
松の（葉の）襲 まつのかさね……99 245
紅葉の襲 もみじのかさね……48 200 244
柳の（葉色の）襲 やなぎのかさね……91 240
山吹の襲 やまぶきのかさね……39 91 95 192 241
夕顔の襲 ゆうがおのかさね……33
蓬の襲 よもぎのかさね……86 242

＊登場人物の色布と衣裳＊

明石の上 あかしのうえ……101 113 117 164
明石姫君（女御） あかしのひめぎみ（にょうご）……113 118 151 161 162 163
朝顔姫君 あさがおのひめぎみ……108
浮舟 うきふね……210 211 212 214 217 219 223 225
空蟬 うつせみ……26 29 113 119
大君（玉鬘の娘） おおいきみ……192
大君（八の宮の娘） おおいきみ……200
女三の宮 おんなさんのみや……156 158 159 160 169
薫 かおる……170
桐壺更衣 きりつぼのこうい……14 18
雲居雁 くもいのかり……137
源氏 げんじ……20 22 25 54 54 62 75 76 77 78 107 172 174 183
小少将 こしょうしょう……181
左衛門の督 さえもんのかみ……173 176
末摘花 すえつむはな……44 86 112 122
玉鬘 たまかずら……112 120 124 126 127
藤宰相 とうさいしょう……173 176
中の君（玉鬘の娘） なかのきみ……193
中の君（八の宮の娘） なかのきみ……197 203
匂宮 におうのみや……220 222
軒端の荻 のきばのおぎ……26 31
花散里 はなちるさと……73 112 123
兵部卿宮 ひょうぶきょうのみや……172 174
藤壺宮 ふじつぼのみや……15 19 64 68 69
紫の上 むらさきのうえ……39 112 115 167
夕霧 ゆうぎり……143 152 155 173 175
麗景殿女御 れいけいでんのにょうご……70
冷泉帝 れいぜいてい……90 96 172 175

紫苑　しおん　明るい紫色で、シオンの花の色になぞらえた色……76 108 109 141 216
菖蒲　しょうぶ　ショウブの花色で、赤味がかった紫色となる……131
蘇芳　すおう　スオウの木の芯にひそむ色素で染めた濃い赤……92 163
蓼藍　たであい　名のとおり蓼藍で染めた藍色だが、濃淡は染めの時間による……22 24 32
丁字　ちょうじ　香色ともいい、チョウジの蕾を乾燥させて染材とした茶系の色……153 155
常磐　ときわ　常緑樹である松の葉のような色で、刈安と蓼藍で染める……52 98
中鈍　なかにび　鈍色は白に近いものから黒にみえるものまであり、その中間色……168
撫子　なでしこ　淡く紫がかった薄紅のナデシコの花色……141 211
苗　なえ　文字どおり早春の苗のような明るい緑……93
鈍　にび　喪に服すときに身につける衣裳の基本色で濃淡がある……42 60 66 102 104 148 181 182 202
縹　はなだ　蓼藍で染めた透明感のある青色。蓼藍生葉を使うことも……123
艶紅　ひかりべに　紅花の色素を沈殿させた濃い赤色……190
檜皮　ひわだ　ヒノキの樹皮のような赤茶色をいう。木色とも樹皮色ともいう……150 224 225
藤の花　ふじのはな　陽春に群れ咲くフジの花色で紫根で染める……19
藤袴　ふじばかま　早秋に白っぽい紫色の花を咲かせるフジバカマの花色……149
二藍　ふたあい　蓼藍に紅花をかけあわせた紫系の色。二色で色目を変える……22 23 27 28 30 31 131 132 133 153 154 155 174 175 176
紅　べに　「べに」とも「くれない」ともいい、紅花染の鮮やかな赤……62 160 168
紅花　べにばな　伝統色の第一級の染材。染色作業の時間により濃くも淡くもなる……22 24 27 47 57
緑　みどり　万緑という言葉があるように、多彩な緑色を総称……87
紫　むらさき　『源氏物語』の主要な色。高貴な人びとが好んだ色……18 19 43 46 61 79 93 107
萌黄　もえぎ　新緑の明るく鮮やかな草木の色を想起されたい……165 166
紅葉　もみじ　日本茜で染めた濃い紅葉の赤色……49 50 51 52 200
柳　やなぎ　桜につづいて都を彩った柳の明るい葉色をいう……93 122
山吹　やまぶき　赤味をおびた黄色の花を咲かせるヤマブキの花色……38 41 121 179 180 193
楊梅（山桃）　やまもも　ヤマモモ（山桃）の樹皮が染材となる。ややくすんだ黄色……32
ゆるし（聴し）　ゆるし　紅花染であるが、高価な染材のため、薄く染めた色……74 76 116 119 121
蓬　よもぎ　まだ浅い春の野に群れるヨモギの葉色でやや濃い緑……87
瑠璃　るり　青く輝く石玉の色をいい、深い青系の色……171
若苗　わかなえ　田に植えつけられたばかりの早苗の明るい緑……211
若葉　わかば　早春に萌えいずる若葉の黄緑色……134 135

襲の名前

薄紅梅の襲　うすこうばいのかさね……193
卯の花の襲　うのはなのかさね……73 124 126 241
葡萄の襲　えびのかさね……244
楝の襲　おうちのかさね……242
女郎花の襲　おみなえしのかさね……243
杜若の襲　かきつばたのかさね……242
桔梗の襲　ききょうのかさね……142 243
菊の襲　きくのかさね……201
桐の襲　きりのかさね……14 18
朽葉の襲　くちばのかさね……197
胡桃の襲　くるみのかさね……244
香色の襲　こういろのかさね……245
紅梅の襲　こうばいのかさね……240
紅白梅の襲　こうはくばいのかさね……191
氷の襲　こおりのかさね……101
桜の襲　さくらのかさね……90 94 240
桜萌黄の襲　さくらもえぎのかさね……240

＊色と襲の名前索引＊（本文と写真ページから採出）

色の名前

藍　あい　日本人にもっとも好まれる色。植物染の基本。蓼藍で染める……22
藍下黒　あいしたぐろ　藍で下染めしてから黒色に染める。奥行きの深い黒色となる……174 179
青朽葉　あおくちば　蓼藍の生葉染をしたあとヤマモモをかけた黄色っぽい緑色……179 181
青白橡　あおしろつるばみ　麹塵とも山鳩色ともいい、まだ青いドングリの実のような色……97
青鈍　あおにび　青色に黒系の染材をかけあわせた色で濃淡各種ある……61 66 74 77 116 119 180
青緑　あおみどり　青味がかった濃い緑色で、盛夏の樹林の葉色が思い浮かぶ……93
赤　あか　色合いの範囲は広く、黄味の朱色から明るい紅色、さらに濃い色まで……93
赤支子　あかくちなし　紅花と支子をかけあわせ、紅花を濃く染めた色……69
赤朽葉　あかくちば　濃い紅葉になる前の赤味がちの黄色……107 108 110
茜　あかね　植物のアカネの根から染めた赤にわずか黄が入る色……53 121
浅緋　あさあけ　日本茜で朱色っぽく染めた色……84 85
浅縹　あさはなだ　蓼藍の生葉で染めた明るい青色……85 123
浅緑　あさみどり　蓼藍と刈安をかけあわせた明るい緑色……84 85
浅紫　あさむらさき　薄色ともいい、濃紫にくらべ紫根の量は約６分の１……82 83 85
今様　いまよう　紅花で染めたかなり濃い赤。「今流行り」の色……114 143
淡鈍　うすにび　鈍色はいかようにも濃淡であらわすことができ、そのごく薄い白に近い色……63 68 102 208
薄朽葉　うすくちば　秋が深まり、紅葉ののち、朽ちた葉の枯れ色……193
薄紅梅　うすこうばい　紅梅色より薄い色……193
薄紫（淡紫）　うすむらさき　浅紫と同様、紫根の量をおさえた染色……149 181
葡萄　えび　ヤマブドウ（古名エビカヅラ）の実が熟れて紫色を呈するときの色……57 92 97 114 145 166
楝　おうち　薄い青紫色の花を咲かせるオウチの花色……132
女郎花　おみなえし　かすかに緑がかったオミナエシの花色……140 217
掻練　かいねり　紅花染のやや淡い赤色で練った絹（かきねり）に染める……116 118 123 179 180
刈安　かりやす　ススキに似たカリヤスで染めた黄色。日本の伝統色の代表色……24 32 53
萱草　かんぞう　黄から橙色の花を咲かせるカンゾウの花色……116 168 202
黄菊　きぎく　承和（そが）色とも。仁明天皇が愛した黄菊の少しくすんだ黄色……201
麹塵　きくじん　青白橡とも。緑青に抹茶をまぜたような不可思議なくすんだ色……85 92 97 145
黄朽葉　きくちば　緑葉が秋の気配でしだいに黄葉していくような色……196
黄橡　きつるばみ　ツルバミやドングリを煮出した汁で染めた茶傾向の黄色……196
黄蘗　きはだ　ミカン科の黄蘗の樹皮の内側部分が染材になる。それで染めた黄色……24
桐の花　きりのはな　キリの花色で淡い紫色となる……18
支子（梔子）　くちなし　晩秋に実をつけるクチナシの実で染めた黄の強い色……116 119 121
朽葉　くちば　刈安と阿仙をかけて、朽ちてゆく葉の色をあらわした色……143 196
胡桃　くるみ　クルミの実の割れにくい核の部分の色でまだ青い実を染材とする……79
滅紫　けしむらさき　紫を滅した色の意味で、くすんだ灰色がちな紫色……227
香　こう　チョウジの花の蕾を摘んで染材とする薄い茶色……57 79 221
紅梅　こうばい　文字通り早春の梅の花色を紅花染であらわす……160 163 190
濃き　こき　「濃き」のあとに「紫」が略されている。紫根でくり返し染めた濃い紫色……27 108 111 116 117 129 180
深緋　こきあけ　アカネでくり返し染めた赤色……83 85
濃鈍　こきにび　かなり黒味がかった鈍色とするが、色調はさまざまである……62 63 102 182
深縹　こきはなだ　縹色は藍色より薄く、浅葱色より濃い。藍に近づけた色……85 221
深緑　こきみどり　麹塵色のようなくすんだ黄緑色で、紫根と刈安で染める……84 85
深紫　こきむらさき　「濃き」と同等で、紫根染をくり返し深く濃く染めた紫色……82 85
焦茶　こげちゃ　濃い褐色をいう。一般的に使われる色名……154
桜　さくら　平安期からなじみ深い山桜の色を想起する色……56 116 118 160
安石榴　ざくろ　ザクロの果実の皮色。赤味がかった黄色……53

【著者紹介】

吉岡 幸雄（よしおか さちお）

昭和二十一年、京都市に生まれる。生家は江戸時代から続く染屋。昭和四十六年、早稲田大学卒業後、美術図書出版「紫紅社」を設立。『染織の美』（全三十巻・京都書院刊）、『日本の意匠』（全十六巻・京都書院刊）の編集長を務めるとともに、美術展覧会「日本の色」「桜」（東京・松屋銀座）などを企画、監修する。広告のアートディレクターも務め、コマーシャルフィルム、電通カレンダーの制作などに携わる。

昭和六十三年、生家「染司よしおか」五代目当主を継ぐ。染師福田伝士と二人三脚で日本の伝統色の再現に取り組む。平成三年に奈良薬師寺玄奘三蔵院にかかげる幡を多色夾纈によって制作。平成四年、薬師寺「玄奘三蔵会大祭」での伎楽装束四十五領を復元。平成五年、東大寺伎楽装束を制作。天平時代の色彩をすべて植物染料によって再現。平成十四年、東大寺開眼一二五〇年慶讃法要にあたり、管長の紫衣、糞掃衣、鹿草木夾纈屏風、開眼の縷などを制作。

平成十二年、ドイツ・ミュンヘン市共立手工業ギャラリーで「染司よしおか─日本の染織芸術の極致展」、平成十五年、日本橋髙島屋で「日本の色 天平の彩り」展、平成十七年、「蘇る王朝の美 源氏物語の色」展、平成二十一年、「日本の色 万葉の彩り」展を開催。イギリスの大英博物館やアメリカの大学での講義など、国内外で幅広く講演、展覧会をおこない、古来の植物染の奥行の深さとその美しさについて語っている。平成十六年には、シャネルの化粧品ディレクターのドミニク・モンクルトワ氏が吉岡の紅花、蘇芳の赤に注目し、口紅の製品開発、販売をおこなった。

平成二十年、成田国際空港第二ターミナル到着ロビーのアートディレクターを務め、グッドデザイン賞受賞。平成二十一年、京都府文化功労章受章。平成二十二年、第五十八回菊池寛賞受賞。平成二十三年、東大阪美術センターで受賞記念「日本の色千年の彩」展を開催。平成二十四年第六十三回日本放送協会（NHK）放送文化賞を受賞。平成二十八年、植物染による七十色の布が、イギリスのヴィクトリア&アルバート博物館に永久保存のコレクションとして納められた。平成三十一年、ジャパン・ハウス　ロンドンで「かさねの森 染司よしおか展」開催。

令和元年九月三十日、心筋梗塞のため、急逝。享年七十三。

主な著書に、『日本の色辞典』『王朝のかさね色辞典』『日本の色の十二カ月』『京都の意匠』（以上、紫紅社）、『日本の色を染める』（岩波新書）、『失われた色を求めて』（岩波書店）、『日本人の愛した色』（新潮選書）、『吉岡幸雄の色百話 男達の色彩』（世界文化社）などがある。

「源氏物語」の色辞典

二〇〇八年十一月一日　第一刷発行
二〇二四年　十月一日　第八刷発行

著者　吉岡幸雄
企画・構成　槇野 修
染色　染司よしおか　福田伝士
発行者　浅野泰弘
発行所　紫紅社
〒六〇四-八一三六
京都市中京区梅忠町九-一
電話　〇七五-五八五-二二九一
FAX　〇七五-二五二-六七七〇
https://www.artbooks-shikosha.com/
印刷所　アート印刷株式会社

ISBN978-4-87940-594-4 C0072